Is as Uachtar Cluanaí i mBéal Feirste do Sheán Ó Muireagáin. Is scríbhneoir filíochta, amhrán agus gearrscéalta é. Tá 35 bliain caite aige ag obair in earnáil an Ghaeloideachais sna Sé Chontae, mar ghníomhaí, mar mhúinteoir naíscoile agus bunscoile agus, le 20 bliain anuas, mar Oifigeach Comhairleach. D'fhoilsigh Éabhlóid a chéad chnuasach gearrscéalta *Gáire in Éag* in 2018.

Bádh B'fhéidir

SEÁN Ó MUIREAGÁIN

Bádh B'fhéidir
Gearrscéalta

An chéad chló
Éabhlóid 2022

Gaoth Dobhair
Tír Chonaill
www.eabhloid.com

Leagan amach agus clóchur: Caomhán Ó Scolaí
Dearadh clúdaigh: Caomhán Ó Scolaí
Buíochas le Mícheál Ó Domhnaill

ISBN: 978-1-914482-01-4

Arna chlóbhualadh in Éirinn ag Johnswood Press Ltd.

Foras na Gaeilge

Tá Éabhlóid buíoch d'Fhoras na Gaeilge as tacaíocht airgeadais a chur ar fáil.

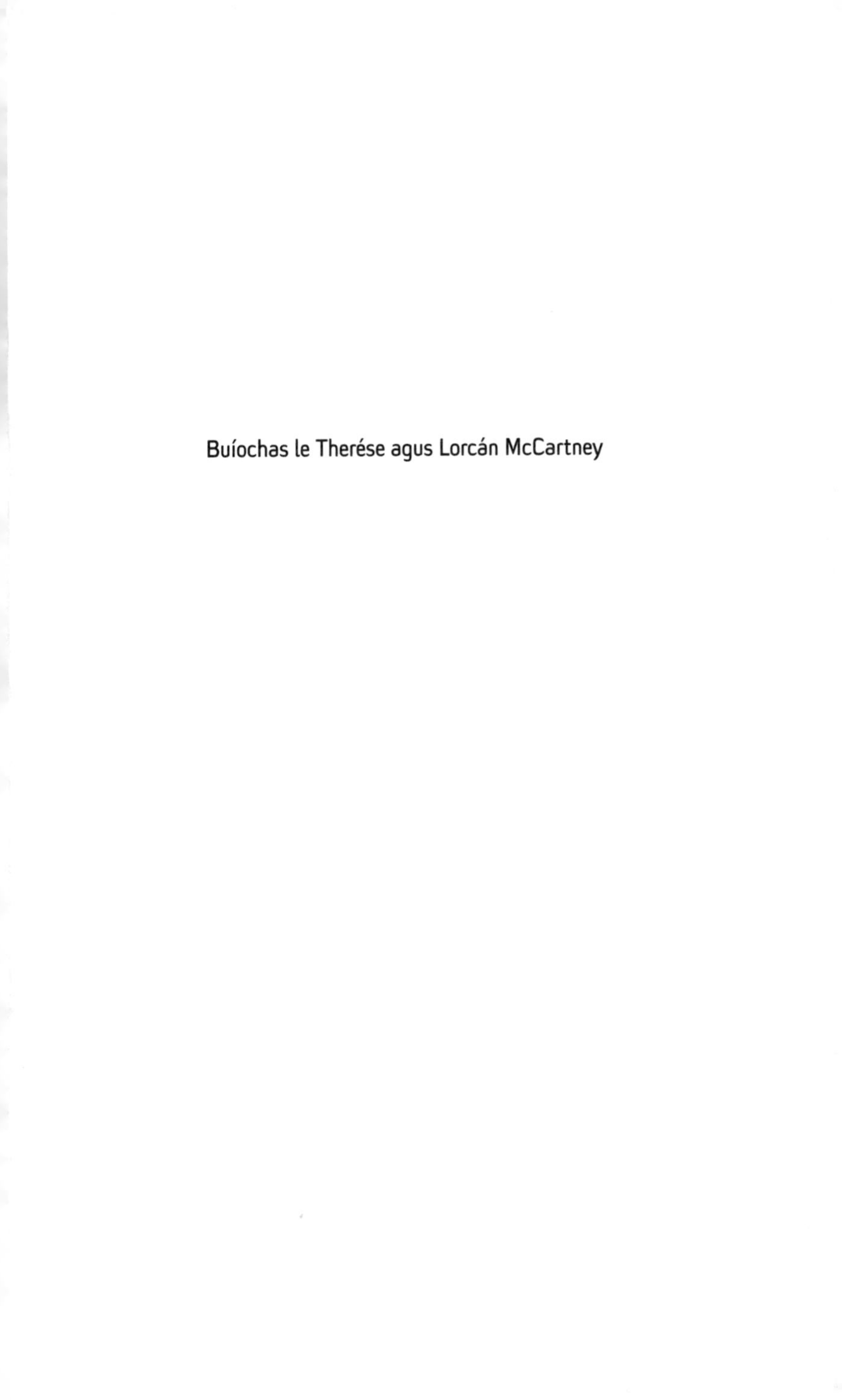

Buíochas le Therése agus Lorcán McCartney

Do mo chara Rónán

CLÁR

An Chóir Chodlata

An tÉascaitheoir

Tá súil agam nach gcuireann an printíseach isteach ar na dualgais atá orm. Ba sin an chéad smaointiú a bhí ar intinn an éascaitheora nuair a mhúscail sé an mhaidin sin. *Tá gach rud ag obair mar is cóir, níor mhaith liom go gcuirfí isteach ar mo chóras, nó go ndéanfaí aon lagú ar mo cheannas intinne.* D'oibrigh an t-éascaitheoir róchrua le blianta fada le go dtiocfadh boc éigin úr isteach leis an chóras a chur chun siobarnaí. *Tá gach rud san áit ar chóir dó a bheith. Ná cuireadh sé aon rud as alt— is fuath liom mura bhfuil gach aon rud ina alt féin. Beidh sé i gceart, nár phrintíseach mé féin lá den tsaol, agus amharc anois orm!*

Ní raibh mórán cuimhne ag an éascaitheoir ar a óige ach bhí sé cinnte de gur cruthaíodh an printíseach úr seo go díreach mar a cruthaíodh é féin. Ní raibh ann ach breac-chuimhne anois, gan cuimhne róshoiléir aige ar dhuine ar bith ar leith ón tréimhse nuair a bhí sé ag fás aníos; nó ní raibh faill ag duine dlúthchairdeas a chruthú ag an am, ná cairdeas ar bith a chruthú go fírinneach. Scaradh an chuid ab fhearr acu ón ghnáthphobal leis an obair is tábhachtaí a dhéanamh. Bhí na daoine speisialta seo róghnóthach. Níor chaith siad an oíche le duine ar bith ar chaith siad an lá oibre leo ariamh. Sin mar a bhí an córas i gcónaí.

Bhí an chéad seacht mbliana dá shaol caite san fhiosrúlann; mar a chaith gach páiste den rang sin iad. Seo an áit a dteachaidh gach páiste speisialta i ndiaidh a mbreithe, le go ndéanfaí dianfhiosrú ar a bpearsantacht; agus bhí sé cinnte gur chaith an printíseach úr seo an chéad seacht mbliana in áit díreach cosúil leis an áit ar chaith seisean iad. Ní raibh a fhios ag an éascaitheoir cá dteachaidh páiste ar bith nach dteachaidh isteach san fhiosrúlann, níor fhiosraigh sé sin ariamh, cad chuige a bhfiosródh?

Fiosraítear pearsantacht an pháiste san fhiosrúlann le fáil amach cén cineál oibre a bheadh fóirsteanach daofa. Sin a míníodh dó ón chéad lá. *Ní dhéanann siad meancóga—ní thearn siad meancóg ar bith liomsa,* a dheimhnigh sé dó féin, gan fios aige cad chuige. Roghnaíodh gach uile dhuine a bhí ag obair don phobal, roghnaíodh iad ar an dóigh sin.

Chuimhnigh sé an t-aon uair amháin ar éirigh duine de na páistí eile san fhiosrúlann tinn—mar a chuir a stiúrthóir féin síos air ag an am—nuair a b'éigean é a chur a chodladh. Chuimhneodh sé ar an pháiste sin ó am go ham ach níor fhiafraigh sé ariamh cad é a tharla dó ná níor cheistigh sé an córas ariamh ach an oiread. Sin go díreach mar a bhí rudaí. Níor cheap sé go mbeadh sé féin ag obair san áit ar cuireadh na daoine sin a bhí tinn: An Chóir Chodlata.

B'annamh a tharla a leithéid de rud agus tinneas a theacht ar dhuine sa Chóir Chodlata féin, agus mar a dúradh leis ariamh anall, *ní fiú an locht a chur ar an chóras mar gheall gur éirigh duine amháin tinn.* Chuir an t-éascaitheoir an smaointiú sin as a chloigeann láithreach agus mheabhraigh sé siar arís ar a óige go dtí an t-am ar bhain sé ocht mbliana amach. Ar nós gach páiste a bhaineann an aois sin amach, cuireadh an t-éascaitheoir ar aghaidh go dtí an ullmhúlann; bhí ullmhúlann ann do gach cineál oibre agus gach cineál duine. Ba chuimhin leis an eagla a bhí air ag dul isteach ann ar tús, athrach ollmhór sa chur chuige agus sna nósanna a chleacht sé san fhiosrúlann.

Ba é anseo, ar an chéad lá, a míníodh dó an cineál oibre a d'fhóir dá phearsantacht féin agus go n-ullmhófaí é don obair sin as sin amach san ullmhúlann seo. Níorbh fhada go dtáinig sé isteach ar chleachtais na hullmhúlainne. Scoil, de chineál, a bhí ann ach í dírithe go hiomlán ar riachtanais an phoist a d'fhóir don duine go pearsanta. Cé nach raibh droch-chuimhne ar bith aige ón tréimhse sin, níor chuimhin leis duine ar bith eile ón am sin ach an oiread. Ní hé nach raibh glacadh le caidrimh shóisialta san ullmhúlann, ní raibh an t-am agat ach don chaidreamh oibre amháin.

Bhí an saol crua go leor san ullmhúlann ach saol ordúil ab ea é agus thaitin sé sin go mór leis an éascaitheoir. Mura raibh an neamhord éigníoch dúghabhálach air roimhe sin, agus is léir go raibh, cuireadh bailchríoch air san ullmhúlann.

D'fhoghlaim sé gach rud faoin bhunreacht agus rialacha uilig na sochaí, mar a bhain sé lena chuid oibre féin. Greadadh isteach ina chloigeann óg lá i ndiaidh lae a thábhachtaí a bhí ord agus nach dteachaidh rud ar bith thar orduithe. Is anseo a tugadh stair na sochaí dó agus cad é mar a bunaíodh an tsochaí agus a uafásaí a bhí an saol nuair nach raibh ord ar bith ann agus mar a bheadh arís mura mbeadh ord ann.

Chuimhnigh sé nár éirigh le gach páiste san ullmhúchán. Ba leathchuimhin leis gasúr beag amháin agus a thréan-iarracht déanta aige gan rialacha na hullmhúlainne a shárú, ach theip air gach uile uair. Labhraíodh an gasúr sin le daoine eile, thógadh sé ceisteanna nuair nár fhoghlaim sé rudaí mar is ceart. Bhí trua ag an éascaitheoir dó; níor thuig sé cad é mar a fuair an gasúr beag dearmadach isteach san ullmhúlann ar an chéad dul síos.

Chuimhnigh sé sin, ach níor luaigh sé é leis an ghasúr ag an am, ná le duine ar bith eile, dála an scéil. Ní raibh a fhios aige cad é a tharla don ghasúr bheag agus ba chuma leis, déanta na fírinne. Mhúscail sé maidin amháin agus ní raibh an gasúr ann níos mó. Níor thuig sé go cionn blianta eile ina dhiaidh sin cá háit a dteachaidh na daoine sin a bhí tinn. Thuig sé rud amháin áfach, nach gcuirfí duine ar bith ag obair sa Chóir Chodlata ach iadsan a d'fhóir an obair sin daofa agus dúirt a oidí leis i gcónaí gurbh í seo an obair a d'fhóir dó féin; rud a chothaigh mórtas cine san éascaitheoir.

D'éirigh sé ina shuí agus shiúil i dtreo an chófra. Seachas an cófra, ní raibh mórán eile sa tseomra: tarraiceán beag ina raibh a chuid fo-éadaigh, a leaba agus clog aláraim sa bhalla in aice léi. Taobh amuigh de sin, bhí na ballaí lom. Ní raibh rud ar bith pearsanta ann.

Thóg sé a chulaith oibre amach as an chófra agus a chuid fo-éadaigh glana as an tarraiceán. Culaith a bhí glanta go húr agus boladh na húire uirthi, mar a bhíodh gach lá. Ní raibh a dhath eile sa chófra. Thóg sé isteach lán a shróine den bholadh, boladh a thaitin go mór leis, boladh a bhain le rialtacht agus le cinnteacht a phoist. Chuir sé air a chulaith oibre mar a rinne gach maidin le fiche bliain, ag toiseacht leis an léine agus ag críochnú lena chuid bróg.

Tá a fhios agam nach ndéanann siad meancóga, ach is deacair gan a bheith rud beag imníoch go fóill, go díreach mar a bhí an chéad lá a dtáinig mé isteach anseo mar phrintíseach. Ní raibh sé ach ocht mbliana déag d'aois ag an am, agus cé go raibh sé ullmhaithe go maith don phost le deich mbliana roimhe, agus cinnte, é réidh d'ord agus d'eagar an chórais, ní raibh sé réidh don éascaitheoir a bhíodh dá thraenáil ar feadh na mblianta ina dhiaidh sin. B'ionadh leis nár smaointigh sé ar an tseanéascaitheoir le blianta agus ba mhó an t-iontas nár chuir sé a thuairisc ó d'imigh sé deich mbliana roimhe. *Is cuma fá sin anois!* Chroith sé a cheann agus mhachnaigh sé ar an chéad lá.

Seanfhear crosta é, agus é iomlán cinnte go raibh mise ann leis an áit a scrios. Sin a shíl an t-éascaitheoir cá bith ar an chéad lá sin fadó. *Is cuimhin liom boladh an údaráis, an boladh céanna a bhí ar chulaith an tseanfhir i gcónaí.* Ar ndóigh, ní raibh an seanfhear crosta sin ach ocht mbliana is tríocha d'aois, ach bhí cuma i bhfad níos sine air agus ba ríléir nár lú air an diabhal ná an printíseach úr ina sheasamh os a chomhair. 'Ní raibh call lena bhuaireamh,' a dúirt an t-éascaitheoir amach leis féin go bródúil, agus é rud beag náirithe gur dhúirt sé amach os ard é. D'amharc sé thart sa tseomra ar eagla gur chuala duine éigin é, ach chreid sé nár chuala, ní raibh neach beo eile sa tseomra sin le héisteacht leis.

An amhlaidh gur sin mar a bhraitear mise anois, i mo sheanfhear crosta? Níor mhothaigh sé féin é. Chuir sé air culaith a chéime. An chulaith a chuir a chéim shinsearachta in iúl láithreach agus shuaimhnigh sin aon bhuaireamh a bhí air faoi. Shiúil sé na dorchlaí dorcha go dtí a oifig ach léim bheag scleondrach, shuntasach ina chéim, agus gáire beag an tnútháin ar a bhéal. Shiúil sé isteach san oifig, agus dá mbeadh leaba san áit a raibh an tábla agus ríomhaire, shílfeá gur ina sheomra leaba a bhí sé go fóill.

Teacht an Phrintísigh

Nuair a chéadchonaic sé aghaidh bheag thanaí an phrintísigh úir ina sheasamh ina oifig, baineadh siar as rud beag. Ba chosúil le buachaill óg é a raibh cuma bheag imníoch air, ná le duine a bheadh ag obair i bpost chomh tábhachtach leis an cheann seo. *Más seo mar a chonaic an seanéascaitheoir mé nuair a thoisigh mise anseo, ní hionadh go raibh sé buartha.* Chuir an smaointiú sin miongháire ar a bhéal, a cheil sé ón phrintíseach. Bhí an printíseach agus an t-éascaitheoir thart ar an airde chéanna agus ar an mhéid chéanna. Bhí a gcuid gruaige bearrtha go díreach mar an gcéanna, ach gruaig an éascaitheora bricliath agus gruaig an phrintísigh go fóill donn.

Taobh amuigh d'aois na beirte, d'fhéadfá a chreidbheáil gur athair bitheolaíoch an phrintísigh é an t-éascaitheoir, agus ar ndóigh, bheadh sé mar mhac aige go cionn deich mbliana amach as sin cá bith, go díreach mar a chríochnaigh seisean leis an tseanéascaitheoir fadó. Ach bhí difear beag amháin ann, dar ndóigh, bhí cuma níos údarásaí ar chulaith an éascaitheora. Rud a chuir gliondar air.

Threisigh sé an t-údarás sin láithreach: 'Tá rialacha na háite seo le foghlaim agat sula dté muid isteach san aonad codlata, a phrintísigh.' D'éignigh sé an t-údarás arís ina ghlór: 'Beidh ormsa mo chuid dualgas a chomhlíonadh agus leanfaidh tusa mé gan focal a rá.' D'amharc an t-éascaitheoir idir an dá shúil ar an phrintíseach. 'Éisteann an printíseach, ní labhraíonn an printíseach. Ní leagfaidh tú do lámh ar rud ar bith san aonad codlata gan chead, agus is mise amháin a thabharfaidh an cead sin duit. Ní chuirfidh tú ceist ar bith go n-iarrfaidh mise ort ceist a chur nó a fhreagairt. Tá gach rud san áit ar leag mise síos é agus bíodh a fhios agat nár leag mé síos aon rud gan chúis.' Gach focal as a bhéal, go díreach mar tá scríofa ina threoirleabhar. *Bhí sé sin láidir go leor gan a bheith bagrach,* rud a tharraing sé as dreach an phrintísigh.

Chuimhnigh an t-éascaitheoir an chaint cheannann chéanna á tabhairt dósan ar a chéad lá san oifig seo. *An raibh mise chomh scéiniúil leis an bhoc óg seo? Caithfidh sé go raibh, ach ar ndóighe, níor chóir domh a bheith scanraithe roimh an éascaitheoir san am úd nó ba mé an duine ceart don phost sin agus dheimhnigh sé sin domh go minic ina dhiaidh sin, agus níor theip ar an chóras, ná ormsa, ó shin.*

Thoisigh sé arís agus a ghlór ag athneartú a cheannais: 'Tá céad fiche duine faoi chúram agamsa san aonad seo agus níor chlis orm ariamh mo dhualgas a chomhlíonadh—' Stop sé soicind le béim a chur ar na focail a tháinig ina dhiaidh: 'agus má éisteann tú liomsa go cúramach, ní chlisfear ortsa ach an oiread.'

Ba ríléir go raibh an printíseach ag éisteacht go géar, rud a thaitin go mór leis an éascaitheoir.

Shuigh an t-éascaitheoir ar chathaoir taobh thiar dá dheasc. D'amharc sé ar an phrintíseach óg roimhe. 'Is é seo ceann de na róil is tábhachtaí dá bhfuil ann sa tsochaí seo. Is sinne a chinntíonn go gcuirtear an bunreacht i bhfeidhm i gceart. Is sinne a chinntíonn oibriú rianúil na sochaí. Tá foirfeacht agus ord na sochaí ag brath orainne; sin mar a bhí ariamh agus sin mar a bheas go deo.'

Chroith an printíseach a cheann in aonta. Lean an t-éascaitheoir ar aghaidh. 'Tá an bunreacht de ghlanmheabhair agat, tá mé cinnte, ach is é feidhmiú an bhunreachta atá i gceist anseo agus ní hionann an dá rud. Deir an bunreacht nach féidir leis an stát beatha duine a ghlacadh, agus ní ghlacann. Deir an bunreacht go gcaithfidh an stát saol suaimhneach a chruthú do gach saoránach, rud a dhéanann. Anois nuair atá duine tinn nó neamhchumasach, de réir chur síos aontaithe an stáit, agus nuair nach féidir leo a bheith páirteach mar is ceart sa tsochaí, nó, nuair nach féidir saol suaimhneach a chruthú daofa, tá dualgas ar an stát iad a shuaimhniú, le saol suaimhneach a chinntiú daofa féin agus dúinne uilig. Is ról na saoráide seo saol na ndaoine sin a shuaimhniú; agus sin a dhéanann muidne anseo.'

Lean sé air ach d'athraigh a ghlór arís le tuilleadh béime a chur ar thábhacht na bhfocal: 'Ar ndóighe, tá rogha eile sa bhunreacht. Is féidir le saoránach ar bith a bheatha féin a scor agus caithfidh muidne an rogha sin a éascú daofa chomh maith. Níl ach aon bhealach amháin leis sin a dhéanamh; má mhúsclaítear suanaí trí huaire agus iad,' ní mó ná gur stop sé sular dhúirt: 'go fóill tinn—beidh ar an stát an cinneadh a dhéanamh ar a son. Ach foghlaimeoidh tú faoi sin uilig de réir a chéile. Níl le déanamh agat ar an chéad dul síos ach na cúraimí atá ort maidir leis an tsuanaí a fhoghlaim go cruinn.' *Ní raibh sé sin ró-olc, ní shílim, mhothaigh mé gur thuig sé sin uilig,* a cheap sé féin agus beagán faoisimh air dá réir.

An Chóir Chodlata

Sheas an t-éascaitheoir agus shiúil chuig an doras. 'Siúlaimis thart ar an aonad go bhfeice tú méid na hoibre agus de réir a chéile foghlaimeoidh tú mar a fheidhmíonn gach rud anseo.' Ba léir óna dhreach go raibh sé sásta leis féin, gur mhothaigh sé faoin am seo nach raibh meancóg déanta acu faoin phrintíseach seo ach an oiread agus gur aithin an duine óg seo a cheannas gan cheist.

Shiúil siad amach as an oifig, thiontaigh ar chlé agus síos an dorchla leathan leis na ballaí dúliatha. Dorchla gan aon fhuinneog a bhí ann le soilse beaga maola ar an tsíleáil. Bhí doirse ar an dá thaobh le comharthaí orthu. Ar thaobh amháin, bhí dhá dhoras: CÓGASLANN agus TACAÍOCHT THEICNIÚIL, a raibh doirse dhá chomhla orthu; agus ceann eile anonn uaidh ar a raibh an focal EOLASLANN scríofa agus a raibh dath glas air.

Mhínigh an t-éascaitheoir go raibh altra amháin don aonad seo agus gurb é an duine sin amháin a thugann cógas do na suanaithe, más gá. 'Tá teicneoir amháin ann do gach aonad chomh maith, ar eagla go dteipfeadh ar mheicníocht an chórais.' Rinne sé an ráiteas a lean seo a bhreisiú: 'Ní tharlaíonn a leithéid ach go hannamh.' Thiontaigh sé a chloigeann rud beag ansin agus dúirt: 'Tá gach éascaitheoir chomh cúramach leis an trealamh agus atá leis an tsúil ina cheann. Ord agus eagar, ord agus eagar.'

Shiúil sé thart ar an eolaslann gan a lua.

Ag deireadh an dorchla, stop siad os comhair doras ollmhór dhá chomhla, déanta as miotal dubh agus cuma an-trom air. Chuir an t-éascaitheoir a ordóg isteach i bpoll beag taobh leis an doras agus d'fhoscail an doras le clic, a rinne macalla síos fríd an dorchla. D'fhiar sé a chloigeann rud beag. 'Beidh cead agatsa an doras a fhoscailt ag pointe éigin amach anseo.'

Fosclaíodh an doras isteach go hollseomra a shín amach rompu, fiche méadar ar airde, céad méadar ar leithead agus tríocha méadar ar fhad. Bhí sraith ann de thaisceadáin thréshoilseacha agus uimhir ar gach ceann acu, ag dul ó cheann ceann an ollseomra, a haon go dtí fiche ar thaobh na láimhe deise agus fiche a haon go daichead ar an taobh eile. Bhí trí shraith acu seo ann, ceann os cionn an chinn eile le cosán beag miotal le taobh gach sraith agus céimeanna suas chucu.

'Tá trí aonad sa Chóir Chodlata seo agus tá céad fiche suanaí i ngach aonad. Tá aonad amháin ag gach éascaitheoir. Bíonn ar an éascaitheoir cinntiú go bhfuil gach suanaí faoi shócúl i gcónaí agus is mór an fhreagracht é sin.' Nuair a chríochnaigh an t-éascaitheoir a ráiteas, shiúil sé tríocha méadar go bun an tseomra agus an printíseach sna sála air agus stop.

Lean an t-éascaitheoir air arís: 'Tugtar daoine isteach anseo ag amanna difriúla agus, mar sin de, caithfidh muid mionsonraí gach uile dhuine a choinneáil in ord agus in eagar. Tá comhad a bhaineann le gach duine acu. Más am múscailte aon duine é—' chlaon sé a cheann beagán agus d'ardaigh a mhalaí, 'de réir an dlí—caithfidh muidne an próiseas sin a éascú, le cinntiú nach sáraítear cearta aon duine san aonad. Bíonn muid ag ullmhú don am sin i bhfad roimh ré. Tá páipéarachas ann, ar ndóighe, agus tá an ceistneoir ann—' Ba léir óna ghlór go raibh tábhacht ar leith leis an cheistneoir. 'Tá an páipéarachas uilig le socrú roimh ré; ach taispeánfaidh mé gach rud duit de réir a chéile agus foghlaimeoidh tú gach uile ghné den obair; is leor anois go bhfuil a fhios agat gur sin mar atá.' *Beidh sé áisiúil duine eile a bheith agam leis an pháipéarachas a dhéanamh, is féidir leis an chóip chrua a dhéanamh domh, dhéanfaidh mé féin an leagan ríomhaire.* Níor thaitin an chuid scríofa sin leis ariamh, cé nár admhaigh sé sin, leis féin fiú.

Bhí cuma shásta go leor ar aghaidh an éascaitheora. *Tá an lá ag dul go maith, is maith go raibh mé ullmhaithe agus seo uilig pleanáilte agam le tamall anuas. Tá an treoirleabhar iontach áisiúil,* a shíl sé leis féin. Shiúil siad ar aghaidh píosa beag eile gur shroich siad na céimeanna ag deireadh shraith na dtaisceadán agus d'iarr an t-éascaitheoir ar an phrintíseach dul suas go dtí an chéad leibhéal eile agus lean sé é. Ar an dara leibhéal, shiúil an t-éascaitheoir gur stop sé ag taisceadán 47.

Seo an chuid is teicniúla den obair. Beidh air a bheith an-airdeallach anseo. Má leanann sé mé go maith, beidh leis. 'Amharcaimis air seo go bhfeice tú meicníocht an taisceadáin.'

Bhí bosca miotail taobh leis an taisceadán agus claibín air. Thóg an t-éascaitheoir an claibín. 'Mar a fheiceann tú anseo, nochtann na táscairí seo cad é mar atá an suanaí: a chroí, a bhrú fola, a theocht is araile. Thíos faoi anseo—' d'aimsigh sé a mhéar thosaigh i dtreo bosca le táscairí eile air, '—tá monatóir an chórais bhia. Is gá an méid ceart bia a chinntiú i gcónaí leis an tsuanaí a chothú. Is fúmsa—fúinne atá sé an líon ceart solamair a áirithiú.' D'athraigh a ghlór arís: 'chun nach ndéanfaí cearta an duine a shárú.

'Ní dhéanann muidne an obair sin ar ndóighe, ní dhéanann muidne ach a chinntiú go bhfuil an t-eolas sa ríomhaire; déantar an obair eile sin go huathoibríoch.'

Níor cheistigh an t-éascaitheoir an córas ariamh agus níor theip ar an chóras ariamh, bhuel, le linn a thréimhse féin cá bith, *agus ní theipfidh ar an phrintíseach ach an oiread, má tá aon bhaint agamsa leis.*

Sméid an t-éascaitheoir a cheann i dtreo chúl an taisceadáin. 'Mar a fheiceann tú, tá innealra taobh thiar de gach taisceadán, tá gach rud atá ag teastail ón tsuanaí á sheachadadh dó fríd an innealra sin. Coinníonn muidne súil ar gach rud le héifeacht an innealra a dheimhniú, sin é. Dar ndóigh, ní gá dúinn gach aonad aonair a choimhéad gach bomaite den lá, tá siad uilig ceangailte leis an chóras lárnach ríomhaireachta agus thig linn gach rud a choimhéad ón stáisiún oibre, ach déanaim seiceáil gach uile lá cá bith. Gabhaimis anois chuig an stáisiún ríomhaireachta, go bhfeice tú é sin.'

Ba léir don éascaitheoir, agus b'aoibhinn leis, gur thuig an printíseach gach a ndúirt sé agus neartaigh sé sin an mhuinín a bhí aige sa chóras traenála. *Beidh an printíseach seo chomh maith liom féin lá éigin amach anseo, agus beidh mise ag fágáil cúram na háite faoi stiúir an duine is fearr don phost; is éachtach go n-aithním sin gan ach tréimhse iontach gairid caite agam leis!*

Bhí an mhuinín sin le feiceáil go suntasach i gcéimeanna an éascaitheora agus é ag tuirlingt na gcéimeanna arís go dtí an bunurlár. Le theacht anuas an phrintísigh, threoraigh an t-éascaitheoir é chuig an doras mór eile ag fíorbhun an ollseomra. Ba le hordóg an éascaitheora a fosclaíodh an doras sin chomh maith. D'aithin an t-éascaitheoir gur fairsingíodh súile an phrintísigh nuair a chonaic sé an seomra mór ríomhaireachta amach roimhe. *Mo dhálta féin nuair a chéadchonaic mise an áit seo!*

Shiúil siad beirt isteach go dtí an seomra mór beaglasta, ina raibh trí stáisiún ollmhóra ríomhaireachta agus soilse ag splancadh go hordúil orthu uilig. Bhí comhadchaibinéid thart ar na ballaí ón urlár go dtí an tsíleáil. Bhí dhá mhórdhoras eile le déanamh amach ann, go díreach cosúil leis an doras a dtáinig siad isteach air. Bhí beirt fhear ina suí taobh thiar de ríomhairí móra agus gach stáisiún oibre céad méadar óna chéile. Ní mó ná gur bheannaigh an bheirt fhear don bheirt a tháinig isteach ar chor ar bith, tógáil na gcloigne amháin; rinne an bheirt acusan amhlaidh.

'Éascaitheoirí eile is ea iad agus iad i mbun aonad eile, ach tá siad róghnóthach i mbun a gcuid oibre féin le bheith buartha fúinne,' a mhínigh sé don phrintíseach.

Thiontaigh an t-éascaitheoir agus labhair leis an phrintíseach: 'Ná feicim thú ag amharc ar na héascaitheoirí eile, nó ag labhairt leo ach an oiread. Níl sé ceadaithe. Níl muid anseo le bheith ag sóisialú ach le bheith ag obair amháin.'

Rinne an printíseach sméideadh cinn in aonta. Shuigh an t-éascaitheoir taobh thiar dá stáisiún oibre agus chomharthaigh dá phrintíseach seasamh lena thaobh: 'Is anseo a fhéadtar gach rud a ghrinniú, agus beidh ort a bheith an-chúramach nach ligeann tú do rud ar bith éalú uait. Beir ar an stól sin thall agus suigh taobh liom go bhféadfaidh tú coimhéad ar gach rud a dhéanaim.'

Thóg an printíseach an stól beag crua agus shuigh in aice an éascaitheora.

Ar phainéal rialaithe an stáisiúin, bhí cnaipí do gach taisceadán. Chuaigh an t-éascaitheoir i mbun oibre; ag brú cnaipí anseo agus ansiúd ar an phainéal agus ag míniú faoi dhó agus faoi thrí gach rud a rinne sé.

'Anois,' ar sé agus béim mhór ar an fhocal aige, 'tá uimhir amháin anseo a chaithfidh tú a choimhéad i gcónaí.'

Bhrúigh an t-éascaitheoir an cnaipe agus las boscaí beaga dathchódaithe suas ar a scáileán—dath glas ar bheagnach gach ceann acu.

'Léiríonn gach bosca acu sin dáta múscailte an tsuanaí agus caithfidh muidne a bheith réidh don eachtra sin. Tá cnaipe an bhosca 47 buí anois, rud a chiallaíonn go bhfosclófar é i gcionn trí lá, toiseoidh an cnaipe ag splancadh nuair a bheidh dhá lá fágtha agus beidh dath dearg air nuair nach bhfuil fágtha ach lá amháin; ach tá go leor ama againn go fóill leis na hullmhúcháin a dhéanamh. An chéad rud amárach, toiseoidh muid air sin agus beidh go leor le déanamh againn —is fiú duit an ráiteas sin a thaifead.'

Shuigh siad ansin ar feadh dhá uair an chloig eile sular labhair an t-éascaitheoir lena phrintíseach arís. 'Beidh sos againn anois le scamhard a ghlacadh.'

D'iarr sé ar an phrintíseach dul anonn chuig cófra mór ar an bhalla. D'fhoscail sé an cófra agus bhí trí sheilf ann. Ar gach seilf bhí cupáin le focal scríofa ar gach ceann: MAIDIN, TRÁTHNÓNA nó OÍCHE. Dúirt an t-éascaitheoir leis dhá chupán maidne a thógáil agus uisce te a chur iontu ón phíobán. Rinne an printíseach amhlaidh. Thug sé cupán don éascaitheoir agus chomharthaigh an t-éascaitheoir dó suí. D'ól siad a raibh sna cupáin go ciúin. *Ar a laghad níor fhiafraigh sé díom cérbh as a dtáinig na cupáin. Níor fhiafraigh mé féin ariamh é agus ní thiocfadh liom a rá leis!*

Nuair a bhí an sos thart, labhair an t-éascaitheoir: 'Faoi dheireadh an lae, tá mé ag súil go mbeidh tú eolach, go dtí pointe, ar an chóras seo uilig—cad é mar a dhéantar ionladh agus leithreasú an duine. Ina theannta sin beidh beathú agus cothú an tsuanaí san fhadtréimhse le bheith agat go beacht agus eolas agat ar aon rud eile atá de dhíth le saol an tsuanaí a shuaimhniú. Ní dhéanann muidne an obair sin, ach cinntíonn muid go ndéantar é—agus go ndéantar é mar is ceart—mar atá cinntithe sa bhunreacht. Níl mé ag dréim go mbeifeá saineolach ar ndóighe, tiocfaidh sin de réir a chéile, ach ar a laghad go dtuigfidh tú cad é atá mé a dhéanamh.'

Chuaigh an lá ar aghaidh mar seo, leis an éascaitheoir ag tabhairt gach cineál eolais dá phrintíseach, go dtáinig am lóin go díreach ag a dó agus cuireadh an printíseach chuig an chófra le cupáin an tráthnóna a fháil. Níor mhínigh an t-éascaitheoir cad é a bhí á ól acu agus cad é mar a tharla é a bheith ann, agus níor fhiosraigh an printíseach é ach an oiread.

I ndiaidh deich n-uair an chloig oibre, agus sos eile ag a sé do bhia leachtach ón chófra, labhair an t-éascaitheoir lena phrintíseach: 'Tá an lá istigh, beidh ort oíche mhaith chodlata a dhéanamh anocht. Rinne tú lá maith oibre ansin ach beidh níos mó le déanamh agat amárach agus amach anseo. An bhfuil aon cheist agat féin anois sula dté tú ar ais chuig d'aonad codlata?'

Thóg an printíseach a chuid súl le hamharc ar an éascaitheoir. Ba é seo an chéad uair a tugadh deis dó ceist a thógáil. Labhair sé go cúramach: 'Níl ceist ar bith agam, a éascaitheoir, tá clár oibre na seachtaine agam cheana féin agus dhéanfaidh mé uair an chloig léitheoireachta anocht ar a mbeidh romham amárach. Go raibh maith agat as an lá fhiúntach sin, d'fhoghlaim mé cuid mhór agus tchífidh mé maidin amárach thú.' Ba léir an mhuinín ina ghlór.

D'éirigh sé ón stáisiún oibre agus shiúil i dtreo an dorais. Shuigh an t-éascaitheoir ag amharc air agus beagán bróid air. Bhain an printíseach an doras amach agus thiontaigh ar ais chuig an éascaitheoir, ag fiafraigh lena chuid súl cad é ba chóir dó a dhéanamh le dul amach. Sheas an t-éascaitheoir agus le draothadh gáire ar a bhéal, shiúil chuige. 'Níl m'ordóg de dhíth ort le dul amach, ach le theacht isteach amháin.' Bhrúigh sé ar mhurlán an dorais, tharraing chuige agus shiúil an printíseach amach; bhí a aghaidh lasta go bun na gcluas agus ba léir an t-aiféaltas a bhí air as a chéad bhotún an lá sin. Rinne an t-éascaitheoir miongháire beag agus é dá choimhéad ag siúl síos an dorchla.

Tús na hOibre

Ag a sé a cholg an mhaidin dár gcionn, bhí an printíseach ina sheasamh cheana féin ag doras a oifige go mífhoighneach nuair a bhain an t-éascaitheoir an oifig amach.

Shuigh an t-éascaitheoir ag a dheasc.

'Maidin mhaith, a phrintísigh, tá súil agam nach raibh fadhb ar bith eile agat ag dul ar ais chuig an aonad aréir agus gur chodail tú go maith.' Níor fhan an t-éascaitheoir le freagra. 'Inniu beidh muid ag toiseacht leis an tsuanaí sin atá le múscailt i gcionn cúpla lá. Tá próiseas iomlán rialaithe le leanstan agus beidh tusa do mo leanstan an t-am ar fad leis an phróiseas sin a fhoghlaim.'

Bhrúigh sé cnaipe ar a ríomhaire agus dúirt: 'Inniu, a phrintísigh, beidh do chéad spléachadh agat ar a tharlóidh nuair a mhúsclófar suanaí. Ar an chéad dul síos caithfidh mé an suanaí a ullmhú.' Bhreathnaigh sé sonraí an tsuanaí ar a scáileán. 'Tá an duine faoi thromchodladh faoi láthair agus beidh orm é a thabhairt amach as sin, ach déantar go fadálach é; nó d'fhéadfadh sé dochar a dhéanamh don duine dá dtiocfadh sé amach róghasta. Toisíonn an próiseas sin inniu. Glacann sé an dá lá roimh ré leis an duine a ullmhú.'

Bhrúigh an t-éascaitheoir cnaipe eile ar an scáileán agus léim na focail aníos:

PRÓISEAS MÚSCAILTE TOISITHE

'Sin tús an phróisis, ach caithfidh muid a bheith an-airdeallach as seo amach agus súil ghéar a choinneáil ar an tsuanaí. Nuair atá an duine múscailte, is féidir an t-aonad aonair ina bhfuil sé a thógáil amach agus a thabhairt go dtí an eolaslann, sin an áit a ndéantar an scrúdú sláinte. Beidh orainne dul fríd na ceisteanna le chéile roimh ré, níor mhaith liom go mbainfeadh aon rud siar asat.'

Rinne an printíseach sméideadh cinn le léiriú gur thuig sé.

'Dhéanfaidh muid sin san oifig seo, ach i dtús báire, dhéanfaidh muid gach seiceáil atá le déanamh againn le cinntiú nach sárófar cearta aon suanaithe san aonad.'

Chuaigh siad fríd an tseicliosta ó bhun go barr, obair a ghlac ceathracha cúig bomaite. Nuair a bhí an t-éascaitheoir sásta go raibh gach rud in ord, sméid sé a cheann le cur in iúl go raibh sé réidh leis an obair sin agus go raibh sé ag iarraidh bogadh ar aghaidh.

Bhí an t-éascaitheoir ag a dheasc agus an printíseach ina sheasamh ag amharc air gan chorraí. D'fhoscail an t-éascaitheoir tarraiceán le heochair a bhí ar chrúca beag ceangailte dá chrios. Thóg sé amach roinnt páipéar agus chuir sé ar an deasc iad.

'Seo iad na ceisteanna a chuirtear ar shuanaithe sa phróiseas sláinte. Is é seo an chuid is tábhachtaí dár n-obair, a ghiotacháin; éist go cúramach le m'fhocail.'

Shíl an t-éascaitheoir gur aithin sé iontas i súile an phrintísigh gur úsáid sé ainm ceana dó, agus bhí iontas air féin rud beag chomh maith. *Sciorrfhocal a bhí ann*, a mhínigh sé dó féin go hinmheánach agus chuaigh ar aghaidh leis an obair.

D'iarr sé ar an phrintíseach suí agus shín leathanach de pháipéar bán chuige. Air seo bhí iomlán de dheich gceist scríofa. 'Ar ndóighe, ní chuirtear na ceisteanna orthu láithreach. Fanfaidh muid ar a laghad ocht n-uair an chloig i ndiaidh don duine múscailt, le faill a thabhairt dó a theacht ar ais chuige féin. Músclaítear suanaí mar is ceart go mall tráthnóna de ghnáth agus fágtar é thar oíche le theacht chuige féin. Cuirtear na ceisteanna orthu ag meán lae agus muid féin lánmhúscailte chomh maith.'

Léigh an t-éascaitheoir na ceisteanna amach ceann i ndiaidh a chéile:

1. Cé air a bhfuil an locht go bhfuil tú anseo?
2. An aithníonn tú go raibh tú tinn agus gur sin an fáth ar cuireadh anseo thú?
3. An aontaíonn tú leis an bhunreacht a chuir anseo thú?
4. An bhfuil aon locht ar dhuine ar bith eile go bhfuil tú anseo?
5. An bhfuil cuidiú an stáit de dhíth ort le tú a leigheas?
6. An ndéanfaidh tú atraenáil do phost úr a fhóireann duit?
7. Ar labhair tú le duine ar bith eile faoi do thinneas féin?

8. An gcreideann tú go bhfuil tú leigheasta anois?
9. An gcreideann tú sa bhunreacht?
10. Dá mbeadh an rogha agat, an nglacfá le hathlonnú taobh amuigh de bhallaí na cathrach?

An bhfuil an t-othar mífhoighneach, forránach, glámhach, fuaiscneach, támhach, nó faonlag?

'Mar a tchí tú, is ceisteanna iad uilig diomaite den phíosa ag an deireadh, is breathnóireacht é an píosa deireanach agus dhéanfaidh muidne sin i ndiaidh na gceisteanna. Caithfidh an suanaí na ceisteanna uilig a fhreagairt mar is cóir. Níl aon bhealach ceart amháin ann le freagra a thabhairt ach is mise amháin a dhéanfaidh mionscrúdú ar gach freagra. Foghlaimeoidh tusa an scil sin chomh maith. Má shíleann an suanaí gur féidir leis é féin a dhiagnóisiú, is comhartha é sin go bhfuil sé tinn go fóill. Ní ghlactar le féindiagnóis. Is mise amháin, ar son an stáit, a dhéanfaidh an diagnóis.'

D'ardaigh an t-éascaitheoir a chuid súl. 'Dála an scéil; beidh an duine sin múscailte mar is ceart i gcionn trí lá agus beidh tusa i láthair ag an cheistiú.'

Threisigh sé an chuid eile den ráiteas a lean sin: 'Ach bíodh a fhios agat nach ceadmhach duit ach a bheith mar fhianaise ar an phróiseas ag an phointe seo. Glacann sé tamall fada an próiseas a fhoghlaim—agus cuid mhór taithí—taithí a thagann as síorbhreathnú amháin agus as dianstaidéar ar léirmhíniú na bhfreagraí, gan cearta an tsuanaí a shárú. An dtuigeann tú é sin?'

Ba léir an t-iontas i súile an phrintísigh gur cuireadh an cheist seo air, ach d'fhreagair sé é gan a iontas a chur in iúl lena ghlór: 'Tuigim, a éascaitheoir. Tuigim go maith.'

Bhí an t-éascaitheoir sásta ina intinn féin go ndéanfadh an printíseach go maith, nó d'aithin sé é féin sa duine óg. D'aithin sé cé chomh grinn agus a bhí a shúile agus é dá choimhéad i mbun a chuid oibre. D'aithin sé go raibh an printíseach óg seo an-eolach ar an bhunreacht, nó ba léir gur thuig sé gach rud a dúirt sé faoi. Go díreach mar a bhí sé féin san am úd agus bhí sé muiníneach go ndéanfadh an printíseach seo jab maith amach anseo.

Bhí draothadh beag gáire, chóir a bheith dofheicthe, ar bhéal an éascaitheora, shílfeá gur ag labhairt lena mhac féin a bhí sé. 'Toisíonn an traenáil seo le tuigbheáil, tuigbheáil a thig le blianta de thaithí. Tá na daoine seo tinn agus cluinfidh tú rudaí uathu a chuirfeas mearbhall ort; ná bí thusa buartha. De réir a chéile, foghlaimeoidh tú an dóigh le neamhaird a dhéanamh den chaint san aer seo. Cloímidne leis an fhírinne mar atá a fhios againn í agus dhéanfaidh muid an jab atá le déanamh againn leis an duine a shuaimhniú.'

Ní raibh deis ag an éascaitheoir labhairt le duine eile mar seo ariamh ina shaol agus ba léir gur thaitin sé go mór leis.

Ag Ullmhú

Mhothaigh an t-éascaitheoir go dteachaidh an dá lá ina dhiaidh sin isteach go fadálach. D'éireodh sé rud beag tógtha i gcónaí sula músclófaí suanaí. Lena chois sin, chonaic sé an scleondar ag briseadh i súile an phrintísigh le dhá lá anuas. Bheadh an suanaí curtha san eolaslann go mall an tráthnóna sin agus bheadh sé réidh le ceistiú an lá dár gcionn. Bhí an t-éascaitheoir réidh don éacht oibre seo.

Ar ndóighe, éacht oibre a bhí ann i gcónaí. Ní thiocfadh

leis a bheith cinnte cad é mar a bheadh aon suanaí agus é á mhúscailt, ach, ar a laghad, bhí barúil aige faoin duine seo, nó mhúscail sé féin é trí bliana roimhe agus trí bliana roimhe sin arís, agus ba chuimhin leis gur obair mhór thromchúiseach a bhí leis. *D'fhéadfadh sé a bheith ní ba mheasa an t-am seo agus an printíseach óg i mo chuideachta, agus níos measa ná sin; ba é seo an tríú huair a músclaíodh é.* Smaointigh an t-éascaitheoir ar feadh soicind amháin go mb'fhéidir nach mbeadh an printíseach óg réidh dó, agus ansin, d'fholaigh sé an smaointiú ar chúl a intinne: *tá sé i gceart, caithfidh sé foghlaim*.

Go mall an tráthnóna sin shiúil siad, agus tralaí leo, go bun an ollseomra ar thaobh na láimhe deise agus sheas siad ar an ardaitheoir a thug suas go dtí an chéad leibhéal iad, agus anonn leo go haonad aonair uimhir 47. D'fhoscail an t-éascaitheoir an bosca beag ar thaobh an aonaid agus bhrúigh an cnaipe FOSCAIL. Splanc solas beag buí agus focail thíos faoi ag rá AR FHOSCAILT. Stop na soilse uilig ag splancadh agus scaoileadh saor an t-aonad aonair. Tharraing siad an t-aonad amach gur chliceáil sé isteach ar an tralaí. Shiúil siad ar ais go dtí an t-ardaitheoir agus síos leo go leibhéal an urláir arís.

'Tá sé ar múscailt anois ach glacfaidh sé tamall maith go mbeidh sé iomlán múscailte agus in ann na ceisteanna a fhreagairt. Cuirfidh muid san eolaslann é don oíche agus tiocfaidh muid ar ais amárach ag meán lae.' D'aithin sé a thógtha a bhí an printíseach faoi seo uilig agus bhí sé féin i gcónaí rud beag tógtha faoi mhúscailt suanaí ar bith.

An Suanaí

Mhúscail an suanaí i mbosca 47 agus é sínte ar leaba san eolaslann. Bhí sé iomlán fríd a chéile agus níor thuig sé cá raibh sé. Níor aithin sé an áit; seomra beag le leaba agus cúpla cathaoir. Ba chathaoireacha loma iad, suíocháin le droimeanna ísle. Bhí na ballaí uilig lom agus dath liath nó neasbhán orthu. Mhothaigh sé an-lag go fóill agus thit sé ar ais a chodladh go luath.

Mhúscail sé arís in achar ama nach dtiocfadh leis a thomhas. Ní raibh fuinneog ar bith ann agus ní raibh a fhios aige cé acu lá nó oíche a bhí ann. D'amharc sé thart ach ní raibh aon rud suntasach a chuideodh leis an áit a aithint. Luigh sé a chloigeann siar ar ais ar an cheannadhairt, nach raibh chomh bog agus ba mhaith leis í a bheith. Bhí a chuimhne ag teacht ar ais chuige ach go mall. Chuimhnigh sé gach rud a tharla dó nuair a mhúscail sé an t-am deireanach, cá háit a raibh sé agus a leithéid, ach ní raibh sé iontach soiléir. Ní mó ná sásta a bhí sé nach dtiocfadh leis gach rud a thabhairt chun cuimhne.

An t-am deireanach a músclaíodh é, rinne an t-éascaitheoir é á cheistiú, ach níor chuimhin leis an t-am roimhe sin. *Is é seo an tríú huair a músclaíodh mé, tá mé cinnte de sin ach ní thig liom a theacht ar an chuimhne níos mó.* Chuir an droch-chuimhne seo beagán buartha air. *Más é seo an t-am deireanach, beidh rogha ag an stát ina dhiaidh seo.* Tháinig grainc air. *Níl mé cinnte!*

Bhí sé in ann dul siar ina shaol go dtí an t-am sular tugadh isteach anseo é, saol den chineál nár chaith an t-éascaitheoir ná duine ar bith eile mar sin ariamh. Chuimhnigh sé gur mhínigh sé sin don éascaitheoir roimhe. *Níor chreid sé mé go dtí seo agus ní chreidfidh sé go deo mé, tá an córas foirfe. Sin an mheancóg a rinne mé roimhe seo, rinne mé iarracht dul i bhfeidhm ar an duine chontráilte, bhí mé ag labhairt leis an duine chontráilte!*

Luigh sé siar le titim ina chodladh arís. Bhí a chorp lag go fóill agus thuig sé go mbeadh air a scíste a dhéanamh lena fhuinneamh agus a chéadfaí a bhailiú, le bheith éirimiúil go leor leis an phróiseas a láimhseáil. *Caithfidh mé labhairt leis an Teach Uachtarach an t-am seo, le Pól. Is cur amú ama é labhairt leis an éascaitheoir sin, dalldramán atá ann!* Leis an méid sin go fóill ag snámh thart ina cheann agus é ag amharc i dtreo an cheamara, thit sé ina chodladh arís.

An Obair Mhór

Nuair a mhúscail an t-éascaitheoir ag 05:30rn an mhaidin dár gcionn, mhothaigh sé go raibh sé ar aon bharr amháin creatha roimh cheistiú an tsuanaí seo inniu, níos mó ná mar a bhí am ar bith roimhe sin agus shíl sé gur bhain sé leis an phrintíseach a bheith leis an t-am seo.

Bhí cuimhne aige ar an tsuanaí seo ón dá am dheireanacha a mhúscail sé é. Labhair sé gan stad ar bhréige an bhunreachta —gur uirlis smachta a bhí ann. Ba ríléir don éascaitheoir go raibh sé iomlán ar mire agus nárbh fhéidir é a leigheas. *Ach nach bhfeiceann sé gur an bunreacht cáinte céanna sin a thug deis amháin eile dó a theacht ar ais chuige féin. Bhéarfaidh mise cothrom na Féinne dó mar a iarrann an bunreacht orm a thabhairt,* a dheimhnigh sé do féin. *Beidh orm mo thuairisc a chur faoi bhráid na stiúrthóirí sa Teach Uachtarach agus dhéanfaidh siadsan an cinneadh bunaithe air sin.* Níor chreid sé ar feadh soicind go bhféadfaí an suanaí seo a leigheas agus cheap sé go mbeadh ar na stiúrthóirí cinneadh a dhéanamh an próiseas eotanáise a chur i bhfeidhm.

Bhuail sé leis an phrintíseach ag a oifig féin le sceideal an lae a mhíniú dó. Bhí cuma an oifigigh ar an phrintíseach an mhaidin sin. Chuir an t-éascaitheoir ina luí go tréan air nach mbeadh cead aige labhairt: 'Is cuma sa diabhal má labhraíonn an suanaí leat nó má iarrann sé rud ort, níl cead agatsa frithfhreagairt ar bith a thabhairt. Ní thig linne freagairt do rud ar bith a deir sé, tá sé sin ríthábhachtach, an dtuigeann tú mé?' Sméid an printíseach a cheann go dearfa, rud a shásaigh an t-éascaitheoir agus lean sé leis.

Mhínigh sé don phrintíseach go raibh gach seans ann go gcluinfeadh sé caint bharbartha agus caint sheafóideach ón tsuanaí seo, amhail de chaint nár chuala sé ariamh ina shaol ach go mbeadh air neamhaird a dhéanamh de gach rud a chluinfeadh sé. 'Is tábhachtaí d'iompar féin ná iompar an tsuanaí. Tá ceamaraí ar fud an tseomra leis seo uilig a thaifead. Gach aon rud a tharlóidh sa tseomra, beidh sé ar taifead. Is féidir leis na stiúrthóirí amharc siar ar gach rud más gá le cinntiú go bhfuil cearta an tsuanaí á gcomhlíonadh i gcónaí.'

An Eolaslann

Thóg an t-éascaitheoir na fillteáin a bhí ar a thábla agus d'iarr ar an phrintíseach é a leanstan go dtí an eolaslann. Bhí an suanaí ina luí ar leaba agus glais ar chaol na lámh agus na gcos aige. Bhí na glais scaoilte go leor le ligean don tsuanaí suí suas dá mba mhaith leis é. D'amharc an suanaí orthu ag teacht isteach agus aoibh an ghaire ar a bhéal: 'Is tú féin atá ann arís, a chara liom. Is deas tú a fheiceáil arís—agus tá cara beag óg leat an t-am seo. Más maith mo chuimhne, ní raibh ann ach tú féin an uair dheireanach. Is deacair a chreidbheáil go bhfuil trí bliana eile istigh cheana féin—níor mhothaigh mé cuid ar bith de ag imeacht!'

Shuigh an t-éascaitheoir ar chathaoir taobh leis an leaba gan freagra a thabhairt agus d'iarr ar an phrintíseach suigh ar an chathaoir taobh thiar dósan.

'Bhí mé ag brionglóidí liom an t-am ar fad,' a lean an suanaí leis, 'sin an chuimhne is tréine agam go fóill, brionglóidí den scoith; tá saoirse éagsúil sna brionglóidí. Cuid mhaith acu dírithe ar mhná. Cronaím mná. An mbíonn tú féin ag brionglóidí, a éascaitheoir?'

Níor fhreagair an t-éascaitheoir; d'aithin sé na seanchleasa seo ón am dheireanach agus bhí sé réidh daofa!

'Cad é faoin fhear óg seo leat?' Shuigh sé suas ar an leaba agus d'amharc idir an dá shúil air agus labhair arís. 'Cé thú féin, a ghasúir óig?' D'amharc sé ar an phrintíseach go cúramach. 'An mbíonn brionglóidí agatsa, a fhir bhig? An mná a fheiceann tú sna brionglóidí sin, an ea?'

Níor thiontaigh an printíseach a chuid súl ar shiúl ó stánadh an tsuanaí nó níor thug sé freagra ach an oiread. 'Tá mé ag déanamh nach bhfeiceann! Ní fhaca sibhse mórán ban ariamh, ná bean ar bith is dócha.'

Bhris an t-éascaitheoir isteach ar chaint an tsuanaí: 'Tá a fhios agat go bhfuil mise anseo le cearta s'agat faoin bhunreacht a chinntiú, agus go gcaithfidh mé roinnt ceisteanna a chur ort leis sin a dhéanamh.'

'Is maith atá a fhios agam cad é atá tú a dhéanamh anseo, a éascaitheoir. Nár ghnách liom féin éascaitheoirí a choimhéad ag dul den obair iontach seo i dtólamh.' Bhí an focal 'iontach' trom le tarcaisne aige. 'Dar fia, an bhfuil a fhios agaibh an rud is iontaí, mothaím nach dteachaidh ach, b'fhéidir, seachtain nó dhó thart ó bhí mé ag coimhéad cheistiú na sláinte ar mo scáileán féin agus ag breacadh síos nótaí ar na rudaí amaideacha a dúirt na suanaithe sin. Agus nach cinnte go bhfuil duine éigin ag déanamh an rud ceannann céanna anois láithreach le mo chuidse cainte.'

D'amharc an suanaí suas ar na ceamaraí crochta ón díon ag coirnéal na heolaslainne. 'An amhlaidh gur tú féin atá ann, a Phóil?' a dúirt sé faoina anáil, go magúil ach go measúil ag an am chéanna. Thiontaigh sé chuig an éascaitheoir. 'Bhí Pól ag obair liom sa Teach Uachtarach; is é, úsáideann muid ainm dílis an duine sa Teach Uachtarach.'

Smaointigh sé tamall: 'Cá bith uair a bhí ann, trí bliana ab é?' D'amharc sé ar an éascaitheoir leis an cheist seo ach níor fhreagair sé é. Lean sé leis mar sin, go mífhoighdeach: 'Téann an codladh seo i bhfeidhm go mór ar do chuimhne, shílfeá nach raibh ann ach tamaillín gairid ach is maith atá a fhios agam go mbíonn trí bliana idir gach múscailt, naoi mbliana anois! Is léir nár athraigh mórán ó músclaíodh mé an t-am deireanach, ní athraíonn mórán sa tsaol seo, nó mar a deir tú féin go minic, sin mar atá.'

Bhris an t-éascaitheoir isteach ar chaint an tsuanaí arís, chuimhnigh sé go maith bua na cainte ag an tsuanaí seo agus labhraíodh sé i bhfad rófhada gan stad an t-am deireanach chomh maith. 'Ba bhreá liom toiseacht ar na ceisteanna sin anois má tá tú réidh daofa?'

'Níl mé réidh go fóill. Sílim go bhfuil mé tuirseach go fóill. Is é, sin é, tuirseach. Nach dtig linn comhrá beag a bheith againn ar tús?'

D'amharc sé ar an bheirt acu. 'Ní dhéanann sibh féin mórán cainte. Nár mhaith libh spaisteoireacht inchinne a dhéanamh liom, deis a bheith agaibh na rudaí sin uilig a bhíos ag cur isteach oraibh a scaoileadh uaibh? Ba bhreá liomsa, ba bhreá liom scéal mo bheatha a inse daoibh, ar mhaith libh a chluinstin?'

'Na ceisteanna,' arsa an t-éascaitheoir.

Luigh an suanaí siar ar a cheannadhairt agus shnaidhm a lámha le chéile. D'amharc sé ar an éascaitheoir agus dúirt go scigiúil: 'Tá mé ag súil go mór leo. Ach beidh tú ag fadú tine faoi loch, a éascaitheoir uasail; nach maith atá a fhios agam cheana féin nach bhfuil freagra ceart ar bith ann do na ceisteanna sin, agus ar scor ar bith, ní ag caint leatsa a bheidh mé an t-am seo.' D'amharc sé ar an cheamara thuas.

An Ceistiúchán

D'fhoscail an t-éascaitheoir an fillteán ar a ghlúine le stop a chur leis an chomhrá. Labhair sé go cúramach: 'Tá a fhios agat go bhfuil gach rud ar taifead mar tá de cheart agat sa bhunreacht?' Thuig an t-éascaitheoir tábhacht an phróisis ón phointe sin amach agus go mbeadh air gach ceart a chomhlíonadh. Bheadh an próiseas uilig ag brath ar éifeachtacht a chuid oibre féin as seo amach. Sméid an suanaí a cheann in aonta.

Gan aon táinseamh á léiriú ina ghlór agus gan aon fhocal eile curtha leis an ráiteas, chuir an t-éascaitheoir an chéad cheist:

'Cé air a bhfuil an locht go bhfuil tú anseo?'

Ghlac an suanaí cúpla bomaite gur labhair go cúramach: 'Locht—Is orm féin atá an locht go bhfuil mé anseo.' Thóg sé a shúil ó aghaidh an éascaitheora. 'Agus míneoidh mé sin duit chomh maith. Ba é mo húbras féin agus mo leitheadas a ba chiontaí. Shíl mé go raibh mé róchliste, dobhainte, gur dhuine den aos sheachanta mé. Níorbh é, níorbh é ar chor ar bith, a mhalairt ar fad a bhí fíor.'

Rinne sé gáire beag agus shuigh suas. Shearr sé a ghuaillí agus lean leis an chaint.

'Shíl mé go mbeinn saor ón amaidí seo. Mé agus mo leithéidse; nach raibh mise thuas sa Teach Uachtarach! Nach raibh mise ag gáire agus ag magadh leis na stiúrthóirí eile faoin tsaol seo agaibh? Chreid mé gan aon dabht go raibh mé dobhainte, mar chuid den aos sheachanta. Níor dhúirt mé ansin "shíl mé go raibh mé dobhainte," dúirt mé "chreid mé go raibh mé dobhainte," agus ba í sin an fhadhb: a bheith ag creidbheáil rudaí. Tá beagán amhrais san abairt *shíl mé* agus bíonn tú cúramach go fóill, bhuel, meabhrach cá bith. Níl aon amhras in *chreid mé.* Ach fiú sa Teach Uachtarach bíonn siad ag amharc ort agus ag éisteacht leat. Ag éisteacht le gach uile fhocal a deir tú; agus labhair mé! Ar ndóighe, agus d'éist siad agus chuala siad mo chuid—' mhoilligh sé rud beag, 'amaidí. Sin an fáth a bhfuil mé anseo mar sin de, is é, tá an locht orm féin.'

D'fhan an t-éascaitheoir ina thost tamall, ag fanacht le deireadh an ráitis nó bhí cead cainte ag an duine i gcónaí leis an fhreagra is cuimsí a thabhairt. Choimhéad sé an printíseach chomh maith le ruball a shúile, le feiceáil ar chuir cuid ar bith den chaint seo ionadh air, ach ba léir nár chuir, bhuel, ní raibh an chuma sin air, agus shásaigh sin é. D'fhan sé cúpla bomaite ar fad agus ansin chuir sé an dara ceist.

'An aithníonn tú go raibh tú tinn agus gur sin an fáth ar cuireadh anseo thú?'

Chlaon an suanaí a cheann i dtreo an cheamara sular labhair sé arís. 'An raibh mé tinn, a Phóil? Más tinneas é mearbhall aigne nó húbras. Caithfidh sé go raibh, nach mise atá abhus anseo agus tusa atá sa scaglann ag éisteacht liom anois!' Labhair sé leis an cheamara i gcónaí. 'An raibh tú ann an lá sin, a Phóil, nuair a tugadh ar shiúl mé? Tháinig sé aniar aduaidh orm; ní hé, is bréag é sin, ní raibh ann ach nach raibh coinne dá laghad agam leis. Bhíodh gach duine ag magadh faoi na seangáin.' D'amharc sé ar an bheirt eile go malltriallach. 'Gabhaigí mo leithscéal ach sin a thugtar oraibh sa Teach Uachtarach.'

Shíl an t-éascaitheoir gur dhúirt sé go mailíseach é.

Thiontaigh an suanaí ar ais chuig an cheamara. 'Nuair a labhair mé leatsa, a Phóil, shíl mé gur thuig tú; agus cé gur aithin mé nár mhothaigh tú mar an gcéanna, bhí muinín agam asat. Tuigim nár mhothaigh, nó, go mb'fhéidir go raibh eagla ort roimh mo chuid cainte ach níor chreid mé go sceithfeá orm. Níl sin fíor, is é nár smaointigh mé air sin mar thoradh ar an chomhrá.'

Tháinig draothadh beag gáire ar aghaidh an tsuanaí. 'Maithim sin duit, a chara, chaill mé stiúir orm féin, ní raibh mé cúramach go leor. Lom na fírinne, chreid mé nár ghá domh a bheith cúramach, agus caithfidh gur sin a scanraigh thú. Níor aithin mé an eagla sin i do chuid súl. Shíl mise gur suim a bhí ann. Bhí a fhios agat cad é a bhí ag dul ar aghaidh i m'intinn, nó is mó seans gur sin ba mhian liom a aithint.'

Ghearr an t-éascaitheoir isteach air an t-am seo mar nach raibh sé ag freagairt na ceiste ná fiú ag labhairt leofa. Chuir sé an cheist arís le hé a tharraingt ar ais chuige. 'An aithníonn tú go raibh tú tinn agus gur sin an fáth ar cuireadh anseo thú?' Bhí sé an-chúramach, ar fhaitíos go nochtadh sé a mhífhoighde, ach thuig sé nach dtabharfadh an suanaí freagra na ceiste gan phriocadh.

'Aithním go raibh mé bómánta,' a lean sé leis go meabhrach,

'ach sin ráite, más tinneas atá sa bhómántacht, nach bhfuil gach duine tinn mar sin de? Míchúramach, sin a bhí mé; ach is dócha gurbh ionann sin agus tinn.' D'ardaigh sé a ghlór. 'D'éirigh mé tinn tuirseach den leadrán.' Dhírigh sé ar an bheirt eile arís. 'An bhfuil a fhios agaibh cad é atá sa tsaol seo? Ní fhaca sibhse ariamh rud ar bith taobh amuigh den tsaol a roghnaíodh daoibh.' Chroith sé a cheann amhail is gur thuig sé rud éigin nár thuig duine ar bith eile sa tsaol. 'Tá a fhios agam, creideann sibhse gur fhóir sé do bhur bpearsana.' Rinne sé seitgháire. 'Ní fhaca sibh aon rud ariamh a chuirfeadh in iúl daoibh, nó, a thabharfadh leid bheag daoibh, go raibh rogha ar bith eile ann.'

Thiontaigh sé a cheann arís. 'Tá Pól ansin ag amharc anuas orainn anois, an púca sa choirnéal. An bhfuil a fhios agaibh cad é an saol a chaitheann seisean?' É ag amharc orthusan arís, a mhalaí ardaithe agus an dá bhos á nochtadh daofa ag súil le freagra. 'Níl barúil agaibh! Ní fhaca sibh ariamh é. Níl barúil agaibh fiú gur ann do shaol eile, go bhfuil sraith eile daoine ann a stiúrann gach rud.' D'ardaigh sé a ghlór arís agus labhair go réidh. 'Mé féin, mar shampla, bhí mise páirteach sa tsaol sin nach bhfuil a fhios agaibh faoi. Tógadh mise le tuismitheoirí.'

Ní raibh comhartha tuisceana ar bith le léiriú ón bheirt eile. 'In ainm dé!' a dúirt sé de spadhar.

Shuaimhnigh sé é féin arís. 'Is é, tuigim, is deacair sin a chreidbheáil.' Thit a shúile. 'Ródheacair. Sin an fáth a raibh sé leadránach.' Rinne sé an abairt a threisiú: 'Chomh leadránach sin—' Chroith sé a cheann rud beag: 'Ní athraíonn sibh in am ar bith.'

Thoisigh sé arís ach ar ábhar eile an t-am seo. 'Bhí mise le pósadh gan mhoill. Pósadh? Is dócha nach dtuigeann sibh sin níos mó ach oiread. Pósadh—bhí bean agam!'

Stán an t-éascaitheoir air ach níor bhog sé.

'Bean dhóighiúil í chomh maith. Bhí rogha na mban agam, dála an scéil, ach bhí mé i ngrá. Nach bhfuil sé sin amaideach. Mo ghrá! Is é, is é, bhí mise i ngrá tráth. Ar mhothaigh sibhse grá ariamh? Níor mhothaigh!'

Chroith sé a cheann. 'Tá a fhios agam nár mhothaigh. Chinntigh mé nár mhothaigh! Cinntíonn siadsan go fóill nach mothóidh.'

Chlaon sé a cheann i dtreo an cheamara arís. 'Is í an phornlann a tugadh daoibhse agus cead agaibh sibh féin—' stop sé le han-bhéim a chur ar an chéad abairt eile, 'a shuaimhniú. Bhuel, níos mó ná cead go fírinneach, ghríosaigh siad é, agus oibríonn sé go foirfe. Tá sé sa bhunreacht, nach bhfuil! Agus is iomaí uair a chonaic mé bhur leithéidse á húsáid.'

Chaoch sé a shúil leis an éascaitheoir. Mhothaigh an t-éascaitheoir rud beag míshuaimhneach den chéad uair agus é i mbun oibre agus rinne a dhícheall gan sin a nochtadh. Shíl sé gur éirigh leis ach d'amharc sé ar a phrintíseach le feiceáil ar thug sé faoi deara é. Níor thug, ba léir.

Chomharthaigh an suanaí a cheann i dtreo a cheamara. 'Coimhéadann siad gach rud a dhéanann sibh, tá smacht acu ar gach uile rud in bhur saol. Saol eile ar fad a bhí agamsa agus againne uilig thuas ansin. Nach bhfuil sé sin ceart, a Phóil? An bhfuil eagla ort go fóill, a Phóil, go gcreidfidh na seangáin aon fhocal as mo bhéal? Thiocfadh liom labhairt leo gach lá as seo go síoraíocht agus ní dhéanfadh sé pioc de dhifear. Bhí a fhios acu go maith, thuas ansin. Tá mé cinnte de go raibh a fhios. Tuigim anois! D'fhág siad sin uilig agamsa, agus an ceart acu chomh maith, is rith trialach é seo.'

Tháinig cuma mheabhrach air arís. 'Amharc anois orm, faoi thrócaire na ndaoine seo. Na seangáin sin ar stiúir muid iad fríd a saol. Íorónta nach bhfuil? Agus an bhfuil a fhios agat, a Phóil, ní thig leo aon difear a dhéanamh, ní thig leo ach an t-aon chinneadh amháin a dhéanamh i gcónaí. Sin mar a réamhchláraíodh iad, ní thig leo sin a athrach, agus creideann siad gur a rogha féin é. Is toradh mo chuid dea-oibre féin é seo, mar a dúirt mé leat go minic, níl an síorbhreathnú a dhíth, is seangáin iad, cur amú ama a bhí ann.'

Thiontaigh sé ar ais chuig an éascaitheoir agus labhair leis go béasach. 'Caithfidh sé go bhfuil mé tinn; amharc cad é a rinne mé oraibhse, ar gach duine agaibhse; agus an bhfuil daor orm anois? Tá leoga. Cuireadh anseo mé, nár cuireadh? Ach ní thuigim cad chuige.'

D'amharc an t-éascaitheoir thart ar an phrintíseach, le feiceáil an raibh seisean i gceart, nó an raibh an chaint seo ag cur isteach air nó ag cur mearbhall air, ach bhí cuma airsean nach raibh sé fiú ag éisteacht leis an tsuanaí. Ba léir nár chreid sé rud ar bith dár dhúirt sé, nó b'fhéidir gur chuma dhéistineach a bhí ar a aghaidh. *Ba dheacair a rá leis an phrintíseach seo*, a mheas an t-éascaitheoir. D'fhan sé ciúin ar feadh tamaillín le bheith cinnte go raibh an suanaí réidh lena chuid cainte. Choimhéad sé é go cúramach sular chuir sé an chéad cheist eile.

'An aontaíonn tú leis an bhunreacht a chuir anseo thú?'

'An bunreacht,' a dúirt sé agus magadh le brath ann. 'Níor bhain an bunreacht liomsa ariamh, ní thiocfadh liom a rá bealach amháin nó eile an aontaím leis; ní raibh ann ach treoirleabhar a chuidigh linn sibhse a stiúradh. Tá mé gráinithe aige anois, nó is sibhse amháin a úsáideann an diabhal ruda mar atá sé scríofa agus tuigim sin anois. Dá mbeadh Pól anseo i m'áit, thiocfadh leisean labhairt leat faoin bhunreacht, thuig seisean é i bhfad níos fearr ná mise. B'fhéidir gur sin an fáth ar roghnaíodh mise! Dúirt Pól ariamh liom go mbeadh drochthuar fúm, ach tuigim anois nach raibh sé ach ag caint ar an chineál oibre a bheadh agam.' D'athraigh an dreach ar a aghaidh go hiomlán. 'Eisean a thug m'ainm daofa, sílim! Sin an rud a tharla. Cad chuige nár aithin mé sin. Thuig Pól gur mé an duine. Ritheann gach bodach le fána.'

Mhachnaigh sé ar an abairt sin ar feadh soicind nó dhó. 'Cad é a deir an bunreacht cá bith?'

Chuir an cheist ionadh beag ar an éascaitheoir agus d'amharc sé ar an phrintíseach amhail is go raibh sé ag cur in iúl dó nár chuir. D'amharc sé ar ais ar an tsuanaí gan freagra ar bith a thabhairt ar an cheist, ina áit sin chuir sé an chéad cheist eile.

'An bhfuil an locht ar dhuine eile go bhfuil tú anseo?'

'Á, sin í an cheist anois. Seachas mé féin? Is é, bhuel, thiocfadh liom cuid mhaith den locht a chur ar Phól.'

Labhair an suanaí leis an cheamara arís. 'Nach bhfuil sé sin fíor, a Phóil; tusa a shocraigh seo, i ngan fhios domh. Tusa a mhol seo, tusa a dúirt leo na rudaí a dúirt mise leat fúthu, agus d'éist siad leat. Is tú a bheas ag gáire anois, níl tusa fágtha leis na seangáin seo. Nach tú atá cliste, a Phóil—níos cliste ná mé ar scor ar bith.'

Thiontaigh sé chuig an éascaitheoir: 'Ní thuigeann sibhse chomh deacair atá sé a bheith do bhur gcoimhéad lá i ndiaidh lae. Ní dhéanann sibh aon rud as ord. Sin a dúirt mé le Pól de shíor. Ríomhchláraíodh sibh don obair a dhéanann sibh agus tá bhur saol iomlán leadránach i gcónaí. Agus fiú anois, agus mé ag míniú sin duitse, ní thuigeann tú mé. Ba chuma cad é a déarfainn libh.' Stop sé go tobann agus shuigh sé go ciúin tamall.

Nuair a labhair sé arís bhí tuin an tsuanaí athraithe, labhair sé anois go saoráideach. 'Shuigh muid ansin gach lá ag coinneáil ár ndóchas go rachadh duine agaibh ar mire. Ba sin an t-aon rud a choinnigh ag dul sinn!' Chroith sé a cheann le bamba. 'Tá mé ag labhairt le huathoibreán. Síleann tusa go bhfuil mise ar mire! Go bhfuil mise tinn! Níl, tá mise saor!'

Bhí cuma ar a aghaidh nár chreid sé féin gach dár dhúirt sé. 'Sin an chéad uair a dúirt mé sin; go bhfuil mé saor. Ba chuma go raibh smacht agam ar bhur saol, ba sclábhaí mé féin agus muidne uilig thuas ansin, sclábhaí an chórais seo a chruthaigh muid, agus leoga, b'fhéidir nach bhfuil bealach ar bith eile ann! Cá háit a mbeadh muid gan an córas?' Tháinig aoibh ar a bhéal agus shocraigh sé é féin sa leaba. Tá muid saor anois, a Phóil, ní gá dúinn iad a choimhéad níos mó, oibríonn an córas go foirfe.' D'amharc sé ar an éascaitheoir arís, agus dreach ionaidh ar a aghaidh. 'Mé féin a mhol seo, deich mbliana ó shin, is cuimhin liom anois, is cuimhin liom gach rud anois. Gabh ar aghaidh, cuir na ceisteanna eile orm anois, tá mé réidh dó seo.'

Sos Beag

D'fhreagair an t-éascaitheoir é. 'Beidh sos beag againn, tá an t-ocras ag druidim liom, gheobhaidh muidne greim bídh agus rud duitse chomh maith, caithfidh sé go bhfuil ocras ort agus níor mhaith liom tú a bheith tnáite.'

Dhruid an t-éascaitheoir an fillteán agus chomharthaigh don phrintíseach éirí. 'Beidh altra istigh le tú a bheathú gan mhoill, tiocfaidh muidne ar ais i gcionn uaire.'

Leis sin, d'éirigh siad beirt agus shiúil chuig an doras, d'fhoscail an t-éascaitheoir an doras agus d'fhág siad an suanaí ina ndiaidh; ag stánadh orthu ach cuma cineál aoibhiúil ar a aghaidh.

Shuigh an bheirt san oifig, áit ar fágadh scamhard daofa le hithe agus deoch daofa le hól. Labhair an t-éascaitheoir ar tús. 'Tá mé cinnte de nár chuala tú a leithéid de chaint i do shaol ariamh.' Ráiteas níos mó ná ceist a bhí ann. 'Seafóid ar fad ar ndóighe, mo thrua é an duine bocht. Tá sé níos measa an t-am seo ná ariamh. Cad é a shíl tú féin?' Chuir an t-éascaitheoir an cheist seo ar dhá chúis. An chéad chúis, le feiceáil an raibh an printíseach ag éisteacht, agus an dara cúis, le feiceáil an dteachaidh an chaint sin uilig i bhfeidhm air ar dhóigh ar bith aimhleasach.

Ní raibh gá lena imní. 'Tá an duine sin anlathach, ainrianta as smacht agus an-tinn ar fad. I gcead duitse, a éascaitheoir!'

Ní raibh sé tógtha ná fuaiscneach agus é ag caint ach go hiomlán socair, thuig sé nach raibh go leor taithí aige ach choinnigh sé ag dul ar scor ar bith. 'Tá paranóia air agus tá sé síceapatach, tá na comharthaí sóirt uilig ann. Síleann sé an dúrud dó féin agus lochtaíonn sé gach duine eile thart air as a dhuáilcí féin.'

Níorbh é go raibh iontas ar an éascaitheoir, ba chóngaraí do bhród é. Labhair sé arís leis an phrintíseach. 'Beidh lá fada againn anseo agus sílim gur aimsigh tú cuid dá fhadhbanna ansin. Ach is cuma go bhfuil comharthaí sóirt ann, mar a deir tú, caithfidh muidne gach ceist a chur air agus an moladh a dhéanamh dá réir sin amháin. Cloífidh muid leis an bhunreacht.' D'aithin an printíseach nár cháineadh a bhí ann, ach ráiteas forálach. Chríochnaigh siad an bia agus an deoch i gciúnas. Faoi dheireadh, sheas an t-éascaitheoir. 'Gabhaimis ar ais agus déanaimis ár gcuid oibre a chur i gcrích.'

Bhí an suanaí ina luí ag déanamh scíste agus a chuid bídh ite aige. Scrúdaigh sé aghaidheanna na beirte agus iad ag teacht isteach. 'Suígí, a dhaoine uaisle!'

Agus míshásamh le haithint ina ghlór, labhair an t-éascaitheoir sula raibh deis ag an tsuanaí labhairt arís. 'Rachaidh muid ar aghaidh leis an chéad cheist eile mura miste leat.' D'fhoscail sé an fillteán agus léigh.

'An bhfuil cuidiú an stáit de dhíth ort le tú a leigheas?'

Rinne an suanaí machnamh ar feadh soicind. Bhí cuma níos réidhe ar a dhreach. Shíl an t-éascaitheoir den chéad uair go raibh cuma stuama air nó ar a laghad go raibh scamall na mire tógtha óna chuid súl.

'Tá cuidiú de dhíth orm cinnte; níl mé réidh le himeacht go fóill. Aithním go bhfuil léim Dhroichead na nAlt caite agam. Lig mé i ndearmad é, bhí mé ar strae le heagla ar tús. Tá a fhios agam go bhfuil sibh ag éisteacht liom, tú féin ach go háirithe, a Phóil; maith domh mo mhearbhall céille. Fág anseo mé tamall eile. Seachrán a bhí orm, tuigim sin anois.'

D'amharc sé ar an éascaitheoir. 'Thig libhse cuidiú liom, ní thiocfadh libh roimhe, ach thig anois. Tá sibh go hiomlán faoi smacht an bhunreachta. Tchím thú ag smaointiú air sin anois, agus trua agat domh, ag ceapadh go bhfuil mise ar mire. Bhuel, tá an ceart agat, bhí mé ar mire, ar mire gur cheistigh mé an córas. Tuigim go bhfuil an córas de dhíth, ní bheadh ann ach ainriail agus neamhord in bhur saolsa gan córas éigin ann le sibh a ionramháil agus a threorú.' Bhog sé a cheann go mall i dtreo an cheamara. 'Tchím anois go soiléir é, agus tchí sibh féin é.'

Bhí ciúnas ann tamall beag gur labhair an t-éascaitheoir.

'An ndéanfaidh tú atraenáil do phost úr a fhóireann duit?'

Bhí miongháire ar bhéal an tsuanaí. 'Is ceist amú í sin, a éascaitheoir, ní thiocfadh liomsa ach an t-aon obair amháin a dhéanamh. Ní thig liomsa téarnamh i measc na gcaor—gabh mo leithscéal—i measc na saoránach. Tá sibh beirt in bhur suí ansin ag éisteacht liom agus tchím nach gcreideann sibh aon fhocal as mo bhéal. Is é an díchreideamh sin a shábhálfaidh mé. Tá mise ag súil go bhfeicfidh siad nach féidir aon dochar a dhéanamh don chóras níos mó. Níor athraigh mé rud ar bith anseo, ní thearn mé pioc de dhifear, agus thiocfadh liom dul ar aghaidh mar seo go deo agus ní dhéanfadh sé difear.' D'amharc sé sna súile ar an éascaitheoir. 'An chéad cheist eile, a dhuine uasail,' a dúirt sé go tobann, ag nochtadh a dhíograis.

Níor mheall an t-éascaitheoir é.

'Ar labhair tú le duine ar bith eile faoi do thinneas féin?'

'Bhuel, sílim go raibh an mí-ádh ag siúl liom ansin. Sílim go dteachaidh mo ghair san áit nach dteachaidh mo chosa, agus orm féin a bhí an locht, tuigim sin anois. Tuigim gur lig mé síos Pól, gur bhagair mé é, agus tá doilíos orm faoi sin. Caithfidh sé gur scanraigh mé é go craiceann. Ach éist liom!' Stán sé ar an cheamara. 'Níor athraigh mé pioc anseo, bhí an ceart agam, nach raibh? Amharc orthu, creideann siad go hiomlán é, síleann siad gur gealt mé, go bhfuil mé ag labhairt liom féin anseo. Mar thástáil, b'fhiú go mór é a dhéanamh—agus i ngan fhios domh chomh maith, iontach cliste! Rachaidh an saol seo ar aghaidh amhail is nárbh ann domh ariamh.'

B'fhíor don tsuanaí, níor chreid an t-éascaitheoir é. Chreid sé go hiomlán go raibh an boc seo an-tinn ar fad. Chuala sé gach cineál roimhe agus gach píosa de clúdaithe sna treoirleabhair, ach ba mheasa an boc seo ná duine ar bith eile dár mhúscail sé ariamh. D'aithin sé an tsíocóis seo.

D'fhoghlaim sé gach rud faoin chineál seo cainte ón tseanéascaitheoir agus ón traenáil bhreise a cuireadh air faoi thinneas, a mhínigh gach rud dó, gach rud a dúradh, gach rud a chiallaigh sé. Níor thug sé ariamh ach cluas bhodhar don chineál seo cainte. *Tá an córas foirfe, níor theip ar an chóras ariamh. Teipeann ar dhaoine. Ní ligfidh mise síos an córas. Teagascfaidh mise an rud céanna don phrintíseach, míneoidh mé gach rud dó. Tchím rud éigin ann, sílim go dtuigeann sé an obair seo cheana féin, ní bheidh fadhb ar bith leisean.* Lean sé leis, agus chuir an chéad cheist eile ar an tsuanaí.

'An gcreideann tú go bhfuil tú leigheasta anois?'

'Mearbhall aigne a bhí ann ar an chéad dul síos, sin uilig!' Agus é ag déanamh neamhaird iomlán don bheirt acu. 'Ach mearbhall sealadach agus feicim anois gurbh fhíor dó. Aithním go soiléir é. Tá an bunreacht de dhíth orthu, tá treoir de dhíth go síoraí. Beidh siad as smacht gan stiúir, ag marú a chéile mar a bhíodh fadó, agus oibríonn sé agus caithfidh muidne a bheith ann leis an chóras a oibriú ach ní go síoraí. Mar sin de, is é, tá mé leigheasta, chruthaigh mé mo phointe.'

Mhothaigh an t-éascaitheoir an printíseach ag bogadh,

gluaiseacht chóir a bheith neamhfheiceálach, ach mhothaigh seisean é. *Duine bocht, cad é mar a bheadh a fhios aige go raibh sé leigheasta. D'aithin mo phrintíseach féin sin fiú.*

Choinnigh an suanaí ag labhairt leis an cheamara. 'Sílim go bhfuil mé chóir a bheith réidh le theacht ar ais anois. Tuigim go raibh sé seo de dhíth, le tuigbheáil níos iomláine a thabhairt dúinn go n-oibríonn an córas. Labhróimid béal ar bhéal níos moille le plean úr a leagan amach don todhchaí. Ní gá béalrún a dhéanamh de seo níos mó, tuigeann muid uilig sin anois.' D'amharc sé ar a bheirt eile agus chroith a cheann leis an éascaitheoir ag iarraidh an chéad cheist eile. D'fheil an t-éascaitheoir dó.

'An gcreideann tú sa bhunreacht go fóill?'

'An gcreidim ann? Ní chreidim ann, ní chreideann—creidim ina úsáid, creidim sin gan dabht, agus tuigim é, tuigim go hiomlán anois cúis an bhunreachta. Ní bhaineann sé le creideamh, baineann sé le tuigbheáil, tuigbheáil an duine, agus tá sé sin agam anois, tuigim thú. Beidh gach rud i gceart. Tá lánsmacht againn oraibh anois. Is é an rud a bhí ann ná nochtadh fírinne, dar fia, mothaím ar fheabhas! Tuigim sibh agus nuair a thuigeann tú rud go hiomlán is mó is luachmhaire an tuigbheáil sin.' Stán sé isteach idir súile an éascaitheora. 'Cuir do bhos ar do bhéal faoi seo, ach beidh mise saor! Tá an chiall cheannaithe agam.' Luigh sé siar ar an leaba arís, bhí a fhios aige go raibh an ceistiú thart.

'Sin deireadh na gceisteanna anois. Beidh muid ar ais tráthnóna amárach le cinneadh na stiúrthóirí a chur in iúl duit, a shuanaí.'

Leis sin, d'éirigh sé agus thug comhartha don phrintíseach an rud céanna a dhéanamh. D'fhág siad an suanaí ina luí san eolaslann agus aoibh an gháire ar a bhéal. Shiúil an bheirt ar ais go hoifig an éascaitheora agus shuigh siad ag an tábla ansin.

'Éistfidh muid le taifead an cheistiúcháin.' Mhínigh sé cad é a tharlódh sa chuid seo den phróiseas. 'Tiocfaidh na focail uilig aníos ar an scáileán. Is féidir uimhir a cheangal le gach freagra a léiríonn go bhfuil tinneas air go fóill. Tagraíonn an uimhir don chineál tinnis atá i gceist. Tá cur síos ann ar gach cineál sa treoirleabhar.'

Chaith an bheirt go dtí an mheán oíche ag éisteacht le taifead an tsuanaí agus ag ceangal gach abairt le huimhir a shoilsigh a thinneas.

Sheas an t-éascaitheoir. 'Tá an saol ag teacht cúng orainn anois, tiocfaidh muid ar ais go luath ar maidin leis seo a chur i gcrích agus cuirfidh mé an chríoch-chóip ar aghaidh roimh mheán lae, le cur faoi bhráid na stiúrthóirí. Tá mé cinnte faoin toradh a bheas ann cheana féin; níor thacht an bhréag ariamh é, is cinnte go bhfuil an suanaí seo an-tinn ar fad. Dhéanfaidh na stiúrthóirí an cinneadh ach is rud foirmiúil é. Tá sé seo uilig sa bhunreacht agus cloífidh mo thuairisc leis an bhunreacht i gcónaí.'

D'imigh siad beirt agus cuma thuirseach orthu ag siúl síos an dorchla.

Lá na Cinniúna

D'éirigh an t-éascaitheoir an mhaidin dár gcionn go díreach mar a d'éirigh sé gach maidin ag 05:30rn. Rinne sé an rud céanna ar feadh a shaoil agus ní athródh sé anois. *Oibríonn sé*, a mhachnaigh sé leis féin. Bhí lá mór roimhe inniu; dhéanfadh sé cinnte go raibh gach rud socraithe sa tuairisc do na stiúrthóirí agus ghlacfadh sé sin cúpla uair an chloig ar maidin. Rinne sé é féin a ní agus chuir air a chulaith, an chulaith a thabharfadh an t-údarás dó a chuid oibre a dhéanamh mar ba chuí. Shiúil sé amach agus thug a aghaidh ar a oifig féin le tús a chur le hobair mhór an lae.

Bhí an printíseach ag fanacht leis ag doras na hoifige agus cuma mhífhoighneach air. 'Maith thú, a phrintísigh. Is maith liom do dhíograis,' a dúirt sé go sásta leis ar dhul isteach san oifig dó. 'Suigh ansin os mo chomhair agus cuirfidh muid tús leis an lá.'

Bhrúigh an t-éascaitheoir cnaipe a ríomhaire agus spréach sé chun beatha mar ba dhual dó. 'Níl le déanamh againn ach comhad an tsuanaí a fho-eagrú agus cuirfear ar aghaidh chuig na stiúrthóirí é; ní ghlacfaidh sé ach cúpla uair an chloig. Beidh an scéal ar ais againn uair ina dhiaidh sin agus cuirfidh muid tús leis an phróiseas de réir an bhunreachta.'

Shuigh siad beirt ag an deasc agus chuaigh síos fríd gach focal a dúradh an lá roimhe. Mhínigh an t-éascaitheoir gach rud don phrintíseach. 'Is iad na focail seo a léiríonn go bhfuil sé tinn go fóill, ní féidir a shéanadh. Dhéanfaidh muidne gach uile rud a bhreacadh síos agus fáth ár gcinnidh leis. Tá gach rud sa treoirleabhar, má tá aon débhríocht ann gheobhaidh tú gach treoir sa leabhar, sin é an t-údarás atá againn. Má leanann tú é sin, ní thig leat a dhul ar strae.'

Chaith siad an mhaidin ar fad ar an tuairisc agus nuair a bhí sí réidh, d'údaraigh an t-éascaitheoir í lena chód féin agus bhrúigh sé an cnaipe ar a ríomhaire. 'Sin í curtha anois, ní chaithfidh muidne anois ach dul ar aghaidh lenár gcuid oibre. Ceist ar bith, a phrintísigh?' a d'fhiafraigh sé.

Chlaon an printíseach a cheann rud beag agus dúirt: 'Cad é a tharlóidh don tsuanaí anois?'

'Ní bhaineann sé sin linne a thuilleadh, tá obair s'againne déanta.'

Bhí cuma mhearbhlach ar aghaidh an phrintísigh, d'aithin an t-éascaitheoir an mothúchán sin láithreach nó mhothaigh sé féin í an chéad uair a d'airigh seisean toradh an phróisis. 'Tuigim cad é mar a mhothaíonn tú, frithbhuaic atá ann ach ná bí thusa buartha faoi sin. Bíodh a fhios agat go n-oibríonn an córas agus glacfaidh duine éigin eile freagracht as an chuid eile den obair atá le déanamh ina dhiaidh seo.'

Chroith an printíseach a cheann go deimhniúil agus d'éirigh ina sheasamh. Lean sé an t-éascaitheoir amach ar an doras agus chuaigh an bheirt ar ais ag obair.

An Turas

Mo léan géar, tá sé dorcha. Tá sé níos dorcha ná dorcha, tá sé dubh dorcha. Ní thig liom a dhath a fheiceáil. Fiú nuair a dhruidim mo shúile go teann, ní fheicim na splancacha beaga solais sin a tchím de ghnáth. Níor bhraith mé lándorchadas mar seo ariamh, amhail is go bhfuil mé dall. Caithfidh sé gur seo mar atá sé le bheith dall. In ainm Dé, an dall atá mé? Ní mhothaím go bhfuil mé dall, ach murar dall mé, cá háit sa diabhal a bhfuil mé?

Sa duibheagán atá tú, nó san fhodhomhan, is cuma sa deireadh cad é an cur síos atá air, táthar uilig chomh bréagach leis an chine dhaonna, agus chomh fíor leis an tsoiscéal. Níl ann ach focal le hainm a thabhairt ar an rud nach bhfuil ainm ar bith air.

Cé sin? Cé thú?

Nach cuma. Tá gach pearsa dall anseo. Tá eagla ort, ach ní gá aon eagla a bheith ort. Tá tú slán sábháilte liomsa anois, níl aon chontúirt san áit seo; níl aon phian san áit seo; níl aon rud seachtrach ag gabháil a dhéanamh ionsaí ort anseo. Ach le freagra a thabhairt ar do cheist, is dócha gur cineál de scáthán mé ag frithchaitheamh na mbréag ar ais chugat, agus ná bí buartha, tuigim go maith an íoróin a bhaineann leis sin.

Cá'l mé, in ainm Dé? Ní thig liom rud ar bith a fheiceáil. Cad chuige nach dtig liom rud ar bith a mhothú? Abair liom, in ainm Chroim. Ní thuigim cad é atá ag tarlú domh. Cad chuige nach dtig liom rud ar bith a fheiceáil? Cad chuige nach bhfuil solas ar bith anseo?

Le nach mbainfear d'aird ón turas atá romhat.

Turas?

Is ea, turas.

Turas go dtí cá háit?

Ní go háit ach go haithne.

Go haithne? Ach, níl aon turas a dhíth ormsa le haithne a chur orm féin, tá aithne mhaith agam orm féin cheana féin, tá a fhios agam cé mé féin.

Is maith atá a fhios agam cad é atá a fhios agat, agus tá a fhios agam nach bhfuil sé sin iomlán fíor agus aithním cad iad na laigeachtaí atá agat, sin an laigeacht is mó i do shaol agus is iad na laigeachtaí nach n-aithnítear a laghdaíonn an duine. Tabhair aghaidh ar na laigeachtaí, a chara mo chroí.

Ní thuigim cad é atá tú a rá. Laigeachtaí, cad air a bhfuil tú ag caint? Beidh ort sin uilig a mhíniú mar ní chluinim ach rámhaille, ní thuigim thú ar chor ar bith.

Ach, tuigimse thusa, go díreach mar a thuigeann tusa mé ach nach bhfuil tú sásta a admháil go fóill. Seachnaíonn tú an cheist nár mhian leat a fhreagairt; ach is iomaí uair a chonaic mise thú lom nocht os comhair an tsaoil agus eagla do chraicinn ort roimhe. Na tréimhsí sin nuair a bhí tú tostach folamh istigh ach teannfhoclach amuigh. Sheas mé sa chiúnas sin ag fanacht le ciall. Ná lig an fhaill seo thart. Ná bíodh beaguchtach ort; seo an t-aon deis amháin atá fágtha agat sula n-imí tú.

Tá tú bréagach, aighneasóir atá ionat, níl aithne ar bith

agat ormsa. Inis an fhírinne domh, cad chuige a bhfuil mé anseo?

An fhírinne? Is contúirteach an rud í an fhírinne. Cuireann sí scaoll ort, agus déanta na fírinne sin, níor luadh aon laigeacht go fóill. Agus dála an scéil, is é sin an eagla is mó atá ortsa, nár thug tú cead labhartha don ghlór sin istigh i do dhuibheagán féin; na smaointe sin a smachtaigh tú, agus a chuir smacht ort, ar feadh do shaoil; nár caitheadh solas orthu ariamh. Na mothúcháin sin nár scaoil tú ariamh. Bhuel, a chara mo chroí, ní mór duit aghaidh a thabhairt air sin anois agus lomchlár na fírinne sin a scaoileadh uait, ar ais nó ar éigean, nó is baolach go mbeidh sé rómhall.

Níor chóir domh ariamh mo mhothúcháin a scaoileadh beag beann ar na hiarmhairtí; ní luíonn sé sin le ciall.

Is é, na hiarmhairtí. Na hiarmhairtí sin ar do chlú agus ar do cháil. Ach d'fholaigh tú an fhírinne ort féin, mar a thiocfadh néal ar an ghrian. Bhrúigh tú síos na mothúcháin sin nach ndéanfadh do leas amuigh sa tsaol bhréagach sin. Chloígh tú le rialacha nár aontaigh tú leo ariamh. Sheas tú le ceannas a raibh fuath agat air go minic. Níor labhair tú amach nuair ba chóir labhairt amach. Nuair a rinne tú olc, thug tú ainm ar an olc sin; an diabhal, anduine, bodach nó mallaitheoir. Nuair a rinne tú maith, thug tú laoch, gaiscíoch nó dia air. Rinne tú achan olc a fholú agus achan mhaith a scaoileadh uait. Bhuel, tchímse achan olc carntha sa duibheagán seo agat agus caithfidh tú iad a aithint. Agus mar ba mhian leat ariamh, tá achan mhaith scaoilte uait gan aon mhaith ort a thuilleadh.

Nárbh fhearr saol gan daigh gan diachair, gan dua gan doghrainn agam; saol gan phian; nárbh fhearr achan achrann a sheachaint?

Ach níl tú slán sa tsaol sin amuigh dá réir sin. Nárbh é sin a thug achan imní, achan mhíshuaimhneas, achan tinneas, ort ariamh! Nuair a bhrúigh tú síos achan olc i do shaol, i bhfolach sna féitheoga agus in achan anscoilt i do chroí, nár mhór an dochar a rinne sé ort. Beidh ort tumadh sa duibhe seo liom. Is eolaí a bheas tú ort féin. Beidh tuigbheáil agat agus le tuigbheáil tig Saoirse. Tchífidh tú cé thú féin, cé mise, cé—

Ach tá faitíos orm, chan ar mo shon féin ach ar son daoine eile. Níor mhaith liom daoine eile a ghortú.

Is bréagach arís thú. D'fhógair tú amach aon bhréag a chosnódh tú. D'inis tú bréaga do chairde, do ghaoil, do chách. Á do chosaint féin taobh thiar de shraith chosanta bréag. Agus d'úsáidfeá aon rud, aon duine le tú féin a fhíréanú. Tá mé ag iarraidh ort stopadh den amaidí sin. Níl aon chosaint ann níos mó; ná bí buartha. Scaoil uait an eagla sin láithreach, níl an eagla a dhíth ort a thuilleadh. Tóg mo lámh anois agus tar liom.

Go dtí cén áit?

Go dtí tú féin.

Ní thuigim?

Labhraímis fán fhírinne.

Cad é?

Labhraímis fán fhírinne.

Leis an fhírinne a dhéanamh, níl a fhios agam an raibh an fhírinne ariamh ann.

Ba cheoltóir tú uair den tsaol. Chum tú amhráin agus ceol. Ach ba chur i gcéill uilig é.

Cad é atá tú a mhaíomh?

Ba bhréagach é an ceol agus na focail a bhí sna hamhráin. Agus níos measa ná sin, ghoid tú achan rud, níor chum tú a dhath, ghoid tú uilig é, ba ghadaí thú ar feadh do shaoil. Achan rud a rinne tú, ní raibh ann ach bealach le haird a dhíriú ort féin; le moladh a mhealladh chugat féin; gairthe cúplála a bhí iontu, nárbh iad? Focail mhilse a ba iad. Níl ciall ar bith do náire agat, an bhfuil? Ní thearn tú a dhath ariamh i do shaol nár iarr tú féin rud ar ais air.

Tá tú contráilte, rinne mé cuid mhór do dhaoine eile, fíor-rud a bhí ann agus dúradh sin liom go minic.

Is é, fuair tú an toradh a bhí uait, moladh. Níor bhain sé le grá ná le saol na ndaoine mar a scríobh tú ach leat féin i dtólamh, féinspéiseachas a bhí ann agus go fóill séanann tú é. Seo chugat an deis anois, gabh ar aghaidh, lig do náire liom! Admhaigh é a chomhchara liom, admhaigh cad é mar a bhí do phearsa istigh go fírinneach. An rud nár scaoil tú ariamh le duine ar bith, scaoil anois é!

Dá olcas mé, bhí i bhfad níos measa ann!

Ach níl mé ag caint ar aon duine eile níos mó, ach an t-aon duine amháin atá sa dorchadas anseo, gan ach tú féin ag éisteacht leat. Abair amach an fhírinne den chéad uair, abair amach í agus scaoil an suarachas truaillíochta sin uait anois láithreach.

Ceart go leor, maolaigh tú féin in ainm Dé; mé féin a bhí i gceist i gcónaí, mé féin, mé féin, mé féin. An bhfuil tú sásta anois—?

Nach bhfuil tú féin sásta?

Níl!

Ní an fhírinne go fóill í mar sin de. Labhraímis ar an fhírinne ghlan.

Ceart go leor! Admhaím é, a bheagán nó a mhórán, is orm féin a bhí mé ag smaointiú nuair a rinne mé rud ar bith, ach ó mo thaobh féin de, is féidir a rá nár thuig mé sin ag an am. Ní thearn mé—machnamh ar na rudaí sin ag an am. Go díreach, tharla rudaí ar an bhealach sin. Ní mise a chum an córas, b'ann dó sula raibh ann domhsa agus is ann dó go fóill. Is dócha gur náire é gur sin mar atá an córas ach cad é a thig liomsa a dhéanamh fá dtaobh de?

Más olc an náire gur ann dó is measa an náire nach raibh tú sásta ná toilteanach é a aithint agus ní ba mheasa ná sin, nach raibh tú ariamh láidir go leor mar dhuine é a throid; ach is léir domh anois gur thuig tú gur ann dó agus gur roghnaigh tú gan a aithint.

B'fhéidir gur thuig—

Is minic a bádh b'fhéidir, a chomhchara liom.

Ach ní thiocfadh liomsa an córas sin a athrach, ní raibh ionam ach aon duine amháin, cad é mar ab fhéidir liomsa rud ar bith a dhéanamh?

Labhraímis ar an eagla mar sin de.

An eagla?

Eagla, faitíos, scáfaireacht. Is é atá mé ag rá, bhí eagla anama ort an t-am ar fad. B'eagal leat a admháil cad é an cineál duine thú. Scanraigh gach rud beo nó neamhbheo thú, scanraigh gach duine thú. Eagla ab fhurasta a úsáid le ghabháil i gcion ort. Ba mhó an eagla a bhí ort go n-aithneodh daoine go raibh eagla do chraicinn ort, go raibh tú iomlán bréagach, go raibh tú iomlán faiteach roimh an tsaol, ba chuma gur chaith tú fiche pearsa cosanta leis sin a sheachaint.

M'athair ba chúis leis sin! Eisean a scanraigh mé i m'óige—duine uafásach a bhí ann, thruailligh sé m'óige orm.

Agus níor dhúirt tú a dhath ar bith leis agus tú fásta!

Bhuel, bhí sé sean agus ní raibh mé ag iarraidh an trioblóid a thabhairt orm féin—

Eagla! Tá an eagla sin ort anois agus go fóill níl tú sásta ná toilteanach é a admháil. Is cladhaire críochnaithe thú. Admhaigh é. Is meatachán go smior thú!

Is é, ceart go leor, admhaím é! Is cladhaire mé, aontaím leat! Cad é a chaithfidh mé a rá le tú a shásamh? Bhí eagla orm ar feadh mo shaoil, agus tá go fóill. Tá eagla mo chraicinn orm anois; cad chuige nach mbeadh agus mé sa dorchadas seo gan fios agam cad é atá ag tarlú.

Tabhair domh oiread is fríde agus beidh mé sásta. Ba é sin an rud ba chróga a rinne tú ariamh. Cad é mar a mhothaíonn tú anois?

Caithfidh mé a admháil; thug sé beagán faoisimh domh na mothúcháin sin a scaoileadh uaim, ach dúirt mé sin uilig go tarcaisneach.

Is cuma, scaoil tú do racht; bhí fearg ort. Sin a bhí uaim. Agus anois, tuigeann tú cúis an turais. Éist liom agus leat agus beidh tú i gceart. Samhlaigh é, tá an phearsa cosúil le duine gléasta, agus gléasta don gheimhreadh atá mé a mhaíomh; de réir a chéile bainfear na héadaí díot agus ní bheidh fágtha ach an duine lomnocht. Bhain tú an cóta fada díot féin ansin; caithfidh muid a ghabháil ar aghaidh anois agus na héadaí eile a bhaint díot.

Ach fágfar lomnocht mé mar a dúirt tú.

Sin is cúis leis an dorchadas! Ná bíodh eagla ort níos mó do chorp a nochtadh. Baintear úsáid as na héadaí sin mar chulaith chosanta, agus mar chulaith chatha mar aon. Úsáidtear na sraitheanna seo le teachtaireacht a scaoileadh uait féin faoin chineál duine thú; bíonn tú cliste nó trodach nó maoithneach nó a mhalairt, ag brath ar an chomhthéacs. Tá na sraitheanna iomlán bréagach. Níl siad a dhíth anseo. Ní gá duit a ghabháil i bhfeidhm ar dhaoine eile. Níl aon duine eile anseo le ghabháil i bhfeidhm orthu, níl ann ach tú féin anois.

Agus tusa!

Agus mise más maith leat.

Agus ní fheicfidh duine ar bith eile mé anseo? Fiú agus mé lomnocht os a gcomhair?

Ní ann don tsaol sin níos mó, níl agat ach an t-am seo, anois láithreach, áit na mbonn, agus le buille beag boise, beidh an t-am imithe arís. Níl an t-am agat don chumadóireacht. Seo am na fírinne amháin.

Níl mé ag cumadh rud ar bith, ní thuigim arís cad é atá tú a rá, cad é a chum mé?

Chum tú do shaol go dtí seo.

Níor chum!

Chum. Amharc siar anois agus an tréimhse bheag mhachnaimh seo agat. Amharc siar ar an ghrá mar shampla, is é, labhraímis ar an ghrá anois.

Bhí grá agam i mo shaol agus bhí grá domh i mo shaol.

Le fírinne?

Is é, le fírinne.

Anois, ní mór dúinn idirdhealú a dhéanamh idir an grá rómánsúil agus an grá platónach.

Cad é an difear atá eatarthu?

Tá beagán den rogha agat leis an ghrá phlatónach, níl aon rogha agat leis an cheann eile.

Cacamas! Nár roghnaigh mise na daoine a raibh grá agam daofa?

Ní hamháin nár roghnaigh, ach níor éirigh leat ariamh duine acu sin a raibh grá agat daofa a mhealladh. Tagraím siar go dtí an t-ábhar eile lárnach i do shaol, a luaigh mé leat.

Cad é?

An eagla. An eagla a bhí ort féin duine ar bith acu sin a spreag na mothúcháin sin ionat a iarraidh. Ní raibh tú cróga go leor duine ar bith acu a iarraidh; ní raibh ariamh. Líon an bhearna seo le cá bith leithscéal a bhí agat achan uair a tharla a leithéid. Agus achan uile uair, bhí tú sásta a theacht lena raibh agat. Ach ní hamháin sin, chum tú scéal a d'fhóir duit féin. An scéal a chinntigh nach raibh aon locht ort féin ariamh, go raibh an locht i gcónaí ar an duine eile.

Is bréagach thú! Bhí mise i ngrá le go leor ar iarr mé coinne orthu. Agus bhí go leor acu sásta a bheith liom.

Ach níor mhair duine ar bith acu, agus iadsan a mhair tamall, d'éirigh tú tuirseach daofa nó d'éirigh siadsan tuirseach duit.

Ach sin nádúr an ghrá. Caithfidh tú rudaí a thriail go dtí go dtiocfaidh tú ar an duine a fhóireann duit.

Agus an dtáinig tú ariamh ar an duine sin?

Tháinig leoga.

Agus ar mhair an caidreamh?

Mhair sé fada go leor. Ná lochtaigh mise achan uile uair as teip an chaidrimh, bhí an locht ar an taobh eile chomh maith.

Tagraím siar go dtí an rud a dúirt mé tamall ó shin.

Cad é?

Gur chum tú fírinne a d'fhóir duit féin.

Ní hé sin a rinne mé, sin go díreach mar a bhí sé.

Dar fia, d'úsáid tú an abairt sin gan aon íoróin.

Cé acu abairt?

Sin go díreach mar a bhí sé!

Bhuel, is é, sin mar a bhí.

Gan aon locht ort féin? Gan aon cheist faoi? Gan aon imscrúdú déanta agat air?

Bhuel, bhí locht ar an dá thaobh, is dócha. Tá tú ag iarraidh mé a chur ar seachrán. Ó am go ham, rinne mise an cinneadh agus in amanna eile rinne an duine eile an cinneadh.

Tuigim. Rinne sibh cinneadh. Bunaithe ar cad é?

Bunaithe ar an áit a raibh an caidreamh ag an am áirithe sin.

Cad é? Go raibh duine agaibh contráilte agus gur roghnaigh tú an duine eile gan aon chuid den cheart agat ar an chéad dul síos. Nach raibh tú i ngrá leis an duine sin?

Tá tú á chur mar sin leis an fhírinne a chur as a riocht, nó le bunchúiseanna na heachtra a chur trína chéile.

A mhalairt atá mé a dhéanamh. Tá mé ag iarraidh an bhréag a bhá agus an fhírinne a scaoileadh saor. Ní raibh tusa ariamh inchurtha le caidreamh grá. Ba léir an eagla a bhí ort go raibh tú leis an duine mhícheart, go raibh duine eile ní b'fhearr amuigh ansin ag fanacht leat. Nó, nár tú an duine ceart agus go n-imeodh an duine eile ag pointe ar bith uait. Agus bhí an ceart agat i gcónaí. Tháinig tú ar dhuine eile lenar thit tú dúnta i ngrá, nó fágadh tú le himeacht le duine eile. Nárbh iontach go raibh tú chomh críonna sin, go raibh tú chomh heolach sin nach dtiocfadh leat a bheith contráilte! Ach níor chríonna an cat ná a coimhéadaí. Níor fhoghlaim tú gurbh í d'eagla féin a scanraigh thú ón duine eile agus iad uait, agus an eagla cheannann chéanna ar an duine eile a scanraigh iadsan uait.

Cad chuige a bhfuil tú ag gabháil de seo? Cad chuige a bhfuil tú do mo chéasadh? Tá m'intinn cráite agat. Bíodh trua agat domh, le do thoil. Abair liom láithreach, cad é a rinne mé leis an chiapadh seo thuilleamh?

Chaith tú saol folaithe. Folaithe uait féin agus ó achan uile dhuine eile. Ach is féidir é a leigheas anois, le go bhfaighidh do sheancheann ciall sa deireadh thiar thall. Chaith tú do shaol ag sílstean go raibh gach duine ag déanamh mionscrúdú ort agus chaith tú do shaol ag folú na fírinne orthu, le nach bhfeicfeadh siad an duine beag suarach a bhí ionat. An duine aineolach, neamhchumasach sin nár aithin tú féin ariamh, ná do mhion-chúiseachas a nochtadh ar fhaitíos go gcaillfeá meas ar bith a bhí ort. Ní raibh aon mheas ort; bréag eile a chum tú. Ní raibh ortsa ach caoinfhulaingt. D'fhulaing an saol thú agus d'fhulaing tusa an saol. Níor chuir tú rud ar bith leis agus níor bhain tú rud ar bith as. Saol amú a bhí agat go dtí an pointe seo, agus anois, bhuel, thig leat sin a leigheas, nó, thig leat an duine beag suarach sin atá ionat a thabhairt leat go héag. Is fút féin atá sé anois.

Is maith an rud an dorchadas seo ann, nach bhfeiceann mo chráiteoir mé. Níl aon dabht ann gur fuath liom mar a chaith mé le daoine eile, mar a chaith mé leis an ghrá. Ach ní ormsa a bhí an locht uilig. Nár fhoghlaim mé na cleachtais chosanta seo i m'óige, faoi stiúir m'athara? Má amharctar air go fuarchúiseach, cad é an rogha a bhí agam? Níor fhoghlaim mé an dóigh le grá a nochtadh. Leis an fhírinne a rá, níor taispeánadh domh ach an bealach leis an ghrá a chur i bhfolach ón tsaol. Nuair a nocht mé grá le mo thuismitheoirí, rinne siad a bheag de, nach sin is cúis le mo neamart féin agus mé fásta?

Éist leat arís, ag lochtú achan duine amuigh. Níl aon chigireacht inmheánach ag gabháil ar aghaidh, fiú anois agus an comhrá seo ar siúl agat. Níor thuig tú an dorchadas seo. Tá sé ann le nach bhfeicfidh aon duine do náire agus nuair a deirim aon duine, is tusa atá mé a mhaíomh. Níl ann ach tú féin.

Agus tusa!

Mar a dúirt mé, níl ann ach tú féin.

An mbeidh solas ann arís?

Ar ndóigh, beidh, ach tú sásta d'iompar a cháineadh agus tú féin a leigheas. Bíonn solas ann ag an deireadh i dtólamh. Nuair nach mbíonn eagla ort a thuilleadh. Nuair a bhíonn tú cróga go leor leis an tsolas a ghlacadh, beidh tú saor le himeacht.

Níor thug mé aghaidh ar mo laigeachtaí ariamh, níl mé cinnte anois an dtig liom a dhéanamh. Tuigim go bhfuil an ceart agat. Ní shéanaim é níos mó; scanraigh an grá go craiceann mé. Dáiríre, géilleann tú an méid sin de do phearsa féin le duine eile, le strainséir; a bheag nó a mhór, sin atá iontu. Nó titeann tú i ngrá le duine agus gan ach a laghad sin d'aithne agat orthu, tá tú ag gabháil sa tseans nach scriosfar thú. Chuaigh mé sa tseans cúpla uair agus rinneadh mé a stróiceadh agus briseadh mo chroí agus rinneadh smionagar de mo phearsa os comhair an tsaoil.

Is maith atá a fhios agam. Ach éist liom, ní hé sin an fhadhb, is é an fhadhb nár cheannaigh tusa aon chiall ariamh as an eispéireas. Níor bhisigh tú ariamh, a mhalairt ar fad. Chuaigh tusa i bhfolach i nduibheagán an dóláis. Fuair sé an chuid is fearr ort agus chaill tú do mhisneach as sin i leith. Is maith atá a fhios sin agat. Mothaíonn tú é go domhain ionat féin ach níor admhaigh tú ariamh é, nó níos measa ná sin, níor thug tú aghaidh ort féin. Ba chladhaire thú a mhéadaigh do chlaidhreacht go dtí go dtearn tú laoch di. Caithfidh tú anois an chlaidhreacht sin a bhualadh síos sula dtiocfaidh tú ar sholas an tsóláis.

An bhfuil tú réidh liom anois?

A mhalairt ar fad! Labhraímis anois ar an olc. An t-olc a rinne tusa ar dhaoine eile agus an t-olc a rinne daoine eile ort.

Tá a fhios agam cá'l tú ag gabháil leis seo—

Is maith atá a fhios. Mar a chaith tú le d'iníon.

Bhí grá agam do m'iníon—tá grá agam do m'iníon agus beidh go deo.

Grá? Is cuimhin liomsa na smaointe sin nuair ab fhearr leat gan í a bheith ann.

Tá ró-aithreachas orm fá sin. B'oth liom ariamh gur

mhothaigh mé a leithéid de rud. Ba smaointiú gearrshaolach é.

Ach gur mhothaigh tú níos minice ná uair amháin é.

Ach, mar a dúirt mé, ba thrua liom an smaointiú sin. Níor chreid mé féin é fiú gur mé féin a cheap an smaointiú. Tá mé—cad é mar a thig liom anois an grá atá agam di a aibhsiú—is é an rud is mó agus is láidre i mo shaol é, an grá atá agam do m'iníon.

Is é, anois. Ach nár cheap tú ag an tús gur chrá croí a bhí inti, an bheatha bheag seo a bhain de do shaol féin; a chuir isteach ar do shaol sóisialta? Ach ní hamháin sin, níor chráigh sí do shaol sóisialta, ar chráigh?

Agus tá mé croíbhrúite go fóill fá sin.

D'ól tú chóir a bheith achan phingin a shaothraigh tú ar feadh do shaoil agus ba rómhinic d'iníon fágtha ar an ghannchuid. Níor fhág tú gan bia í ach níor ith sí chomh maith leatsa.

Admhaím é, admhaím é agus is mó an buaireamh atá orm fá sin ná aon rud eile i mo shaol. Is mé atá doilíosach fá sin agus dá dtiocfadh liom a ghabháil siar agus é sin uilig a chur ina cheart, dhéanfainn é. Geallaim duit, dhéanfainn é.

Ní dhéanfá rud ar bith éagsúil ach an t-ualach seo ort a laghdú. Ach ar a laghad anois tchí tú an t-olc atá déanta agat.

Tchím, tchím.

Anois, labhraímis ar an olc a rinneadh ortsa.

Is iomaí olc a rinneadh ormsa.

Nach maith atá a fhios agam é, ach tá mise ag caint ar an olc a rinne tú ort féin nuair a rinne tú olc ar dhaoine eile.

Orm féin?

Is é, ort féin. Achan uair a rinne tú feall ar chara, nó ar ghaol de do chuid, ba mhó an t-olc a rinne tú ort féin.

Ní thuigim!

Níor thuig tusa mórán ariamh, ar thuig! Ach bhí sé istigh ionat sa duibheagán ag fanacht go dtí anois le preabadh chun tosaigh. Achan uair a ionsaíodh tú agus ar theip ort an fód a sheasamh. Cad é a shíleann tú a tharla? An t-am sin nuair a rinne duine muinteartha feall uafásach ort, nuair a cuireadh an locht ort as gadaíocht a dhéanamh. Achan uile uair a thug d'athair dúramán ort, nuair a dúirt sé fiche uair leat go raibh tú chomh ramhar sa réasún le muc. Agus achan uair a bhagair tíoránach ort, agus bhí go leor acu ann nó d'aithin siad thú go furasta. Agus achan uair a insíodh bréag fút, achan uair a rinneadh cinneadh a chuaigh i d'éadan, achan uair a chaill tú amach ar rud; ní thearn tú aon seasamh. In áit an troid a dhéanamh, chúlaigh tusa isteach ionat féin agus d'éirigh tú crosta, droch-chroíoch agus fuarchúiseach. Agus le achan ionsaí, chúlaigh tú ní ba dhoimhne isteach sa duibheagán sin. Bháigh tú é uilig sa duibheagán go dtí go dtearnadh duine doicheallach dúr duit. Agus sin an fáth a bhfuil tú san áit seo anois. Neartaigh achan ionsaí acu sin an dearcadh sin a chruthaigh agus a mhúnlaigh tú istigh ionat féin go raibh an locht uilig amuigh agus gan aon locht istigh. Agus amharc ort anois. Duine iomlán bréagach.

Tchím sin. Aithním mé féin sna focail sin, ach rinne mé maith chomh maith, nach dtearn?

Rinne, ach achan mhaith a rinne tú, fuair tú cúiteamh as, rinne tú ar do shon féin é agus fuair tú an cúiteamh sin a bhí uait.

Leoga, rinne mé uilig é ar mo shon féin, tuigim sin. Nuair a amharcaim siar go fuarchúiseach ar mo shaol, is léir domh go dtearn mé achan uile rud ar mo shon féin, ní raibh aon olc a rinne mé nach bhfuair mé aisíoc as, an gáire beag slítheánta sin a rinne mé nuair a theip ar namhaid. Ní raibh aon mhaith a rinne mé nach bhfuair mé cúiteamh as; achan 'maith thú', achan 'bulaí fir'. B'ionann olc agus maith, bhí siad ag déanamh na hoibre céanna. Bhí siad do mo chosaint, do mo bheathú, do mo neartú; bhí siad do mo shlánú. Sin mar a mhair mé an saol seo uilig. Ach ab é an t-olc ní bheadh aon mhaith i mo shaol. Bhí an t-olc agus an mhaith a dhíth le mé a shlánú, ní raibh ceann acu ag teacht salach ar an cheann eile, a mhalairt ar fad, ba rud amháin é. B'ionann an mhaith agus an t-olc, is mé an mhaith agus an t-olc. Caithfidh mé glacadh leis sin anois, nach dhá dhuine scartha iad ach aon duine amháin; mise. Sa duibheagán seo, is cuma mé dóighiúil nó míofar, gránna nó fiú i m'fheallaire. Ní dhéanann sé pioc de dhifear níos mó ná ariamh. Is mé an duine sin anois agus ba mé an duine sin ariamh anall. An duine sin ag teacht i gcolainn amháin le pearsa amháin; bíodh sé maith agus olc ag an am chéanna. Níl dhá ghlór éagsúla a dhíth, ní raibh ariamh, mé féin a scar mo phearsa le mé féin a chosaint ón eagla a bhí orm roimh an tsaol. Ach níor chosain mé mé féin. Stróic mé mé féin i mo dhá chuid; ag cur i gcéill gur mé an duine sin a chonaic an saol mór, an phearsa sheachtrach sin a bhí deas bréagach den chuid is mó. Tá aithne agam orm féin anois fá dheireadh thiar thall agus déanta na fírinne, más ceadmhach domh an focal sin 'fírinne' a úsáid, ní miste liom an duine seo. Géillim don duine seo. Is léir domh anois gur seo mé, maith agus olc agus tá mé sásta leis agus tá mé réidh anois le himeacht ón tsaol seo anois. Tchímse an solas anois romham!

Aiséirí

Sa bhliain 2075, mheas saineolaithe an Domhain nach mairfeadh an pláinéad ach idir caoga agus seachtó bliain eile sula leáfadh na tailte síorshioctha. De dheasca leá na hithreach, scaoilfí saor na milliúin tonna de ghás meatáin a chuirfeadh go suntasach le ráta an téimh dhomhanda agus mar thoradh air sin chruthófaí lúb aischothaithe a mharódh gach uile rud beo taobh istigh de bhliain.

Tháinig mór-rialtais agus mórchomhlachtaí an Domhain le chéile agus aontaíodh plean le spásárthach taiscéalaíochta 'An Dagda' a lainseáil agus a chur chuig pláinéad réamhaimsithe, pláinéad a luí taobh istigh de chrios Chinnín Óir, agus ba phláinéad mar sin é Siosafas 2, pláinéad a chothódh agus a bheathódh an cine daonna. Agus cé nach raibh ann ach seans beag go n-éireodh leo, shocraigh siad gurbh fhiú tabhairt faoi mhisean taiscéalaíochta. Aontaíodh go ndéanfaí réidh trí mhórárthach, le suas le 300,000 de na daoine ab eolaí, ab fheidhmiúla agus ba thorthúla a iompar ann leis an phláinéad úr a choilíniú, dá bhfaigheadh siad amach go bhféadfaí maireachtáil air. De bhrí nach dtiocfadh leo aontú ar an aon láthair amháin leis na mórárthaí a thógáil ann, aontaíodh go dtógfaí ceann amháin sa tSín, ceann sa Rúis agus an tríú ceann i Meiriceá. Thoiseofaí an próiseas tógála agus roghnúcháin a luaithe is a d'fhágfadh an Dagda ar a thuras taiscéalaíochta.

'Tuairisc an Árthaigh Dagda, lá 1,823. An ríomhaire ionsuite, Aoife, ag tuairisciú:

Tá an Misean Aiséirí 1,823 lá, 6 uair is 20 bomaite ó lárionad lainseála spásárthaí na Síne. Leis an mheánluas atá fúinn, beidh sé aon lá is fiche nuair a bhainfear an pláinéad Siosafas 2 amach. Tá córas iomlán an árthaigh ag feidhmiú ag barr a mhaitheasa. Athbheofar an criú ag 07:00 uair ar an 1,824ú lá. Déanfar uathsheiceáil córais aon uair roimh athbheochan an chriú. Déanfar an captaen a athbheochan ar tús agus beidh bearna de chúig bhomaite idir gach ball criú ina dhiaidh sin; san ord seo: an tOifigeach Slándála, an tOifigeach Innealtóireachta agus an dá Oifigeach Eolaíochta; de réir ghnásanna cearta an chomhlachta. Tá an tuairisc críochnaithe.

'Tuairisc an Árthaigh Dagda, lá 1,824. An ríomhaire ionsuite, Aoife, ag tuairisciú:

Ord athbheochana an chriú ag toiseacht ag náid uair lúide cúig soicind; a cúig, a ceathair, a trí, a dó, a haon: ord athbheochana toisithe. Próiseas athbheochana ar siúl. Athraigh an t-aonad beathaithe ó shuíomh cothrománach go suíomh seasta. Foscail aonad beathaithe an chaptaein, Mael de Brún. Tá an tuairisc críochnaithe.

'A Aoife, cá fhad atá muid ón cheann scríbe?'

'Ionann agus fiche lá, a chaptaein.'

'Go maith. Déan seiceáil iomlán an chórais anois, le do thoil.'

'Déanta, a chaptaein, agus gach rud ag obair ag barr a mhaitheasa.'

'Go maith. Cá fhad sula mbeidh gach duine múscailte, a Aoife?'

'Fiche bomaite, a chaptaein.'

'Go maith, a Aoife. Cuir an Prótacal Aistrithe Dualgas i bhfeidhm nuair a bheas an criú iomlán athbheoite.'

'Prótacal Aistrithe Dualgas, cinnte, a chaptaein.'

'Lean ort, a Aoife.'

'Fosclóidh mé Aonad 2: Áine Nic Giolla Ghunna, an tOifigeach Slándála anois, a chaptaein.'

'Haigh, a Ghunnaí, cad é mar a mhothaíonn tú?'

'Rud beag as alt, a chaptaein. Tabhair cúpla bomaite domh, le do thoil.'

'Glac d'am, a Ghunnaí, beidh deich lá againn le héirí cleachta leis seo arís.'

'Tá mé ag súil go maith leis sin, a chaptaein.'

'Tusa a bheas freagrach as triail cumais mheabhraigh an chriú. Beidh Lau athbheoite gan mhoill, fan thusa léi, níor mhiste liom seiceáil a dhéanamh ar an árthach leis na cosa seo a chur ag obair arís.'

'Dhéanfaidh mé sin, a chaptaein.'

'A Aoife?'

'A chaptaein?'

'Cuir in iúl domh nuair a bheas gach duine den chriú athbheoite, agus socraigh cruinniú foirne ag 09.00 uair.'

'Cinnte, a chaptaein.'

'Aoife go criú. Beidh cruinniú againn ag 09:00 uair sa tseomra foirne. Mar eolas daoibh, tá culaith féinmhothaithe ar gach duine den chriú. Coinneoidh an chulaith féinmhothaithe súil ghéar ar bhur gcúrsaí sláinte agus dhéanfaidh sí tuairisciú ar ais chugam ar athruithe sláinte nó eile in bhur gcorpanna. Beidh mé féin agus Nic Giolla Ghunna freagrach as uathsheiceáil chóras an árthaigh agus bhur gcultacha féinmhothaithe; dhéanfaidh mé seiceáil orthu gach lá agus cuirfidh mé tuairisc chugatsa dá réir sin, a chaptaein.

'A Nic Giolla Ghunna?'

'A Aoife?'

'Dhéanfaidh mé an tseiceáil sláinte ortsa anois sula mbeidh an criú uilig athbheoite.'

'Go maith, a Aoife.'

'Tá do chulaith ag cur in iúl go bhfuil gach rud ag barr a mhaitheasa, diomaite de neamhréir bheag amháin: tá tusa go fóill ag táirgeadh uibheacha, rud atá an-neamhghnách i ndiaidh turais mar seo.'

'Ní gá duit a bheith buartha, a Aoife, is mise an duine deireanach ar an domhan atá ag iarraidh leanbh a bhreith.'

'Tá gach rud go maith mar sin de.'

09.00 uair, cruinniú an chriú.

'Is deas sibh uilig a fheiceáil arís. Tuigim nach mbeidh gach duine go hiomlán ar ais chucu féin go fóillín ach, dar le hAoife, is cosúil go bhfuil muid uilig go díreach mar a bheifí ag súil leis i ndiaidh tréimhse chomh fada sin ar fionraí beochana. Beidh muid anois ag obair faoi choinníollacha an Phrótacail Aistrithe Dualgas. Dhéanfaidh Gunnaí an chuid sin a mhíniú i gcionn bomaite. Go díreach anois, tá ormsa dul siar ar pharaiméadair an mhisin libh le cinntiú nach dtáinig aon mheath ar bhur gcuimhní.

'Mar is eol dúinn go léir, tá an Domhan i mbaol a báis. Is é bunchúis an mhisin seo ná domhan úr a aimsiú a bheas in ann an cine daonna a bheathú agus a chaomhnú. Tugadh Aiséirí ar an mhisean, nó creidtear gurb í seo an t-aon deis atá againn an cine daonna a shábháil. Is criú ar leith sinn atá ar lorg pláinéad a chomhlíonann riachtanais an mhisin. Roghnaíodh pláinéad ar a dtugtar Siosafas 2, is dócha go mbeidh orainn ainm eile a thabhairt air amach anseo, sílim go bhfuil an leagan sin amscaí nó go díreach contráilte. Cá bith, tá muid fiche lá ón phláinéad sin anois ach beidh muid deich lá faoi rialúchán an Phrótacail Aistrithe Dualgas. Fágfaidh mé sibh faoi chúram Ghunnaí anois leis an phrótacal a mhíniú. Pointe deireanach: beidh cruinniú againn gach lá go ceann deich lá eile le haon dul chun cinn a mheas agus le haird a thógáil ar fhadhb ar bith a thagann chun cinn. Sin é uaimse faoi láthair. Gunnaí.'

'Go raibh maith agat, a chaptaein. Faoin phrótacal, beidh ar gach duine againn tabhairt faoi dhianchúrsa aclaíochta a bheas faoi scrúdú ag Aoife an t-am ar fad le cinntiú go mbeidh gach duine againn in inmhe dualgais. Déanfar triail chumais mheabhraigh ar gach ball foirne ag an deireadh. Is mé féin agus Aoife a dhéanfas an triail sin. Mar eolas daoibh, beidh mé féin ag dul fríd an chóras cheannann chéanna libhse agus Aoife do mo scrúdú ar an dóigh chéanna agus gach tuairisc ag dul chuig an chaptaen sa deireadh le haontú. Tá a fhios agam go dtuigeann sibh cad chuige a bhfuil seo riachtanach. Bhí muid uilig ar fionraí beochana ar feadh fada go leor agus téann an córas sin i bhfeidhm ar dhaoine ar dhóigheanna éagsúla. Roghnaíodh sibhse mar chriú nó tuigeadh gur mhó an seans go dtiocfadh sibhse fríd an fhionraí beochana seo gan mórfhadhbanna sláinte, cé go bhfuil a fhios againn go mbeidh iarmhairtí ann mar a bhaineann sé le hatáirgeadh gnéasach. Níor mhaith liom barraíocht a rá faoi sin, labhróidh Aoife air sin amach anseo. Fágfaidh mé aige sin é agus toiseoidh muid ar an phrótacal ag 05.00 uair maidin amárach. Ceist ar bith? Tú féin, a Bhriain?'

'D'Aoife an cheist, i bhfírinne—an bhfuil teachtaireachtaí ar bith ó bhaile againn, a Aoife?'

'Tá, ach stop na teachtaireachtaí nuair a bhí muid 815 lá ón Domhan. Tá siad ar fáil ar bhur ríomhairí pearsanta sna ceathrúna criú.'

'An dtig linn ithe anois, a chaptaein? Tá cíocras ormsa agus—'

'Tuigim duit, a Bhláithín. Bia i bhfoirm leachta amháin go cionn 48 uair. Socróidh Aoife rud inteacht daoibh anois—ar fáil sa bhialann más maith libh é. Sula n-imíonn sibh, caithfidh mé rud inteacht eile a rá. Ná déanaimis dearmad cad chuige a bhfuil muid anseo; tá fadmharthain an chine dhaonna ag brath orainne. Nuair a d'fhág muid an Domhan, bhí sé tuartha nach mbeadh fágtha ach caoga bliain. Tá trí long tharrthála mhóra á dtógáil ó d'imigh muid, le 300,000 duine a thabhairt slán. Is fúinne atá sé a chinntiú go mbeidh ceann scríbe sábháilte acu. Tá ár dteaghlaigh, ár gclanna agus ár bpobal féin ag brath ar an obair a dhéanfaidh muid. Coinnígí sin ag fíorthosach bhur n-intinní. Anois, scaipigí libh.'

11 lá ón phláinéad. Cruinniú foirne.

'Amárach ag 07.00 uair glacfaidh muid seilbh lámh-oibrithe ar an Dagda arís. Tá Aoife agus Gunnaí breá sásta le leibhéil aclaíochta an chriú agus is cosúil, tá mé sásta a fhógairt, go bhfuil meabhairshláinte an chriú taobh istigh de theorainneacha inghlactha.'

'A chaptaein?'

'A Bhláithín.'

'An bhfuil aon eolas againn fán phláinéad?'

'Níl mórán níos mó againn go fóill ná mar a fuair muid ón rialú misin sular fhág muid. Tá a fhios againn go gcomhlíonann sé na critéir mar phláinéad atá ar aon dul leis an Domhan. Pláinéad atá ag gluaiseacht ar fithis timpeall ar réalta ag an fhad cheart, ar a bhfuil uisce agus beatha ann. Taobh amuigh de sin, níl a dhath eile againn. Gheobhaidh muid amach i gcionn deich lá is dócha.'

Dhá uair an chloig ón phláinéad.

'Lau, socraigh an Dagda le dul ar fithis timpeall an phláinéid.'

'Cinnte, a chaptaein. Comhordanáidí fithiseacha curtha i bhfeidhm. Fithis socraithe, a chaptaein.'

'Go maith. A Aoife, sín amach na grianphainéil.'

'Grianphainéil á síneadh, a chaptaein. Deich soicind, a naoi, a hocht, a seacht, a sé, glas na bpainéal ceangailte, a dó, a haon. Déanta, a chaptaein agus an glas daingean.'

'Go maith, a Aoife. Déan an pláinéad a scanadh go bhfeice muid cad é atá ag gabháil ar aghaidh thíos ansin, an aimsir ach go háirithe.'

'Rada-scanadh toisithe. Scanadh infridhearg toisithe. Beidh an chéad toradh agam i gcionn cúpla uair an chloig, a chaptaein.'

'Scaoil drón fiosraithe síos go dromchla an phláinéid.'

'Cinnte, a chaptaein. Drón le scaoileadh i gcionn cúig

shoicind. A cúig, a ceathair, a trí, a dó. Drón fiosraithe scaoilte, a chaptaein.'

'A Aoife, cuir an t-árthach tuirlingthe ar fuireachas.'

'Árthach tuirlingthe faoi réir, a chaptaein.'

'Go maith, a Aoife. Nuair a gheobhas muid an t-eolas ar ais agus anailís déanta, beidh muid réidh le ghabháil síos. Go dtí sin, suígí siar, a chomrádaithe, agus bainigí sult as an radharc!'

Ar fithis an phláinéid, lá 2.

'A Aoife!'

'A chaptaein?'

'Torthaí an scanta uilig, le do thoil.'

'De réir an scanta, tá an t-aer inanálaithe agus an t-atmaisféar inghlactha. Tá teocht idir 20 agus 23 céim Celsius ar an talamh. Tá an imtharraingt 0.02% níos laige ná an Domhan, rud a chiallaíonn go mothóidh an duine beagáinín níos láidre agus níos gaiste; ar feadh tamaillín cá bith. Chomh maith leis sin, tá atmaisféar an phláinéid níos tibhe ná atmaisféar an Domhain. Ní bheidh stoirmeacha ródhian ar an phláinéad seo agus is cosúil go bhfuil an aimsir mar seo an t-am ar fad. Beidh le feiceáil ach sin an chéad léargas, a chaptaein.'

'Go raibh maith agat, a Aoife, dea-scéal go cinnte, más fíor duit. Ag 13:00 uair amárach, beidh deis againn leis an árthach thuirlingthe a lainseáil agus is mé féin, Gunnaí, Bláithín agus Brian a bheas ar bord. Fanfaidh Lau anseo leis an lainseáil a chomhordú agus leis an Dagda a choimhéad. Ceist ar bith?

'Go maith. Déan an t-árthach tuirlingthe réidh don lainseáil, a Aoife. Déan cinnte go gcuirfear na luchóga ar bord, a Ghunnaí. An bhfuil rud ar bith le cur leis sin, a Ghunnaí?'

'Rud amháin, a chaptaein. Más maith le duine ar bith teachtaireacht phearsanta a fhágáil ar a stáisiún pearsanta, mholfainn daofa sin a dhéanamh inniu, ní bheidh an t-am againn é a dhéanamh amárach.'

'Maith thú, a Ghunnaí. Déanaigí tréimhse mhaith chodlata, beidh oraibh éirí go luath le bheith réidh don lainseáil.'

'A Bhláithín.'

'A Aoife?'

'An dtig liom labhairt leat i do cheathrú codlata, le do thoil?'

'Cinnte, a Aoife. An bhfuil fadhb ann?'

'Níl, ach tá eolas agam a chuir do chulaith féinmhothaithe chugam faoi stádas do shláinte.'

'An bhfuil gach rud i gceart?'

'Tá, ná bí buartha. Suigh fút, a Bhláithín. Mar is eol duit, dúradh libh, mar mhná, go rachadh an próiseas fionraí beochana i bhfeidhm ar choirp dhaoine ar dhóigheanna éagsúla. I gcás na mban de, stopfaidh an corp ag táirgeadh uibheacha agus tiocfaidh stop leis an mhíostrú. Ní bheidh aon iarmhairtí so-aitheanta eile ann, dhéanfaidh an chulaith féinmhothaithe gach leigheas a thabhairt duit go huathoibríoch le tú a choinneáil slán ó aon airí dochrach. Ach, mar chuid den phrótacal sláinte, ní mór domh gach rud a chur in iúl duit, mar a dhéanfaidh mé le haon bhean eile, de réir mar a tharlóidh sé.'

'Tuigim go maith, a Aoife. Bhí mé cineál ag súil—thuig mé sin nuair a thoiligh mé don mhisean seo. Tá beirt pháistí agam, agus cé nach mbeidh mé ag teacht ar ais leis an choilíniú a dhéanamh, má tharlaíonn sé, ar a laghad chinntigh mé go mbeadh mo pháistí féin slán. Is fiú é, a Aoife, má chiallaíonn sé go dtagann mo pháistí féin slán. Go raibh maith agat as an eolas cá bith.'

'Níl aon bhuíochas ort. Codladh sámh.'

12:55 uair, 5 bhomaite roimh lainseáil.

'Tá gach córas ag feidhmiú ag barr a mhaitheasa, a chaptaein.'

'Go maith, a Aoife. Lau?'

'A chaptaein?'

'Tarraing isteach na grianphainéil don lainseáil.'

'Á dtarraingt isteach anois, a chaptaein.'

'Deich soicind, a chaptaein.'

'Go maith, a Lau. Scaoil taiscéalaí spáis chuig an ghealach sin nuair a bheas an chéad deis lainseála agat agus tar ar ais chugam le tuairisc a luaithe a gheobhas tú na torthaí.'

'Déanfar sin, a chaptaein. Beidh mé i dteagmháil libh go rialta le haon uasdátú. Ag lainseáil in 5, 4, 3, 2, 1. Lainseáil toisithe. Lainseáil déanta. Ádh mór oraibh. Grianphainéil ag dul amach arís.'

'Captaen chuig an chriú. Ní bheidh ach caoga bomaite againn go tuirlingt. Suígí siar ar bhur suaimhneas. A Aoife, druid na comhlaí tuirlingthe don tuirlingt.'

'Á ndruidim, a chaptaein.'

Bomaite amháin go tuirlingt.

'A Aoife. Síos leis an fhearas tuirlingthe.'

'An fearas tuirlingthe thíos, a chaptaein.'

'Déan cuntas go tuirlingt, a Aoife.'

'A chaptaein, 10, 9, 8, 7, 6, inneall múchta, 3, 2, 1, tuirlingthe go slán, a chaptaein.'

Lá 1 ar an phláinéad.

'Maise, a Aoife, maith thú! Seo anois 13.55 uair, toisigh an cuntas, a Aoife.'

'Cuntas toisithe, a chaptaein.'

'Seiceáil córais an árthaigh, a Aoife.'

'Gach córas ag barr a mhaitheasa, a chaptaein.'

'Go maith, a Aoife. Captaen chuig an chriú, is féidir anois sibh féin a scaoileadh de na húmacha ach ná bainigí na clogaid díbh féin go n-abróidh Aoife linn go bhfuil aer an chábáin sábháilte.'

'Tá aer an chábáin sábháilte, a chaptaein.'

'Go maith, a Aoife. Déan seiceáil ar chaighdeán an aeir amuigh.'

'Á dhéanamh anois, a chaptaein. Tá caighdeán an aeir amuigh inanálaithe, a chaptaein. Níl aon truailliú aeir ar bith ann. Tá an t-aer seo ar an aer is glaine dár mheas mé ariamh.'

'Go maith, a Aoife. Ach cuirfidh muid na luchóga amach ar tús le bheith iomlán cinnte.'

'Go maith, a chaptaein. Tá seoimrín na luchóg ar fhoscailt. Beidh orainn uair an chloig a thabhairt daofa le bheith cinnte, agus déanfar seiceáil sláinte orthu ina dhiaidh sin.'

'Maith go leor, a Aoife. Captaen chuig an chriú, is féidir na clogaid a bhaint díbh anois agus bhur gcolainn a shíneadh rud beag. A Aoife!'

'A chaptaein.'

'Scaoil an drón leis an tír-raon a mheas agus foscail na

comhlaí go bhfeice muid cad é atá amuigh ansin.'

'Ag lainseáil anois, a chaptaein, agus ag foscailt na gcomhlaí.'

'Ara, amharc air sin, a chomrádaithe. Bhí cuma dhathúil go leor air ón árthach ach tá sé seo níos ornáidí ná a shíl mé, ildaite spleodrach, tá sé—tá sé deacair cur síos a dhéanamh air seo.'

'Níl léamh ná scríobh air, a chaptaein, tá sé ag gabháil díom an áilleacht seo a thabhairt isteach. An bhfuil bealach ar bith leis an tástáil aeir a dheifriú, a Aoife?'

'Níl, a Bhláithín. Beidh ort guaim a choinneáil ort féin go fóillín.'

'Níl rud ar bith le rá agatsa, a Bhriain?'

'Is álainn i gceart an radharc é, a chaptaein, agus ní thig liom a shéanadh. Tá sé suntasach, ach, an bhfuil sé ináitrithe, an dtig linn maireachtáil amuigh ansin?'

'Beidh le feiceáil, a Bhriain.'

'A Ghunnaí?'

'Aontaím, a chaptaein, ach cead a bheith agam tiontú ar dhearcadh eile más gá.'

'An bhfuil dearcadh agatsa, a Aoife?'

'Tá sé róluath le theacht ar thuairim chruinn, a chaptaein, ach beidh freagraí na gceisteanna sin againn gan mhoill. Seo iad pictiúir bheo ón drón ar an scáileán.'

'Cad é sin ar chlé, a Aoife, uisce, an é? Treoraigh an drón chuige sin anois, a Aoife.'

'Cinnte, a chaptaein.'

'Iarr air sampla den leacht a thabhairt ar ais, a Aoife.'

'Déanta, a chaptaein.'

'Captaen chuig an chriú, déanaigí réidh leis an árthach a

fhágáil i gcionn cúig bhomaite dhéag. Beidh muid ag fágáil fríd an aerbhac ag cúl an árthaigh. Beidh na clogaid orainn go bhfaighidh mé scéal cinnte ó Aoife go bhfuil an t-aer inanálaithe. Ná déanaigí dearmad, beidh imtharraingt an phláinéid seo rud beag éagsúil óna bhfuil muid cleachta agus beidh éifeacht nach dtuigeann muid go fóill aige sin orainn. Glacaigí bhur gcuid ama amuigh ansin, éirígí cleachta leis go mall agus ná bainigí de rud ar bith ar eagla na heagla. A Aoife.'

'A chaptaein?'

'Foscail chéad doras an aerbhaic.'

'Ar fhoscailt, a chaptaein.'

'A Ghunnaí, tusa chun cinn, mise ar deireadh.'

'Go maith, a chaptaein.'

'A chaptaein.'

'A Aoife?'

'Tá an fásra róthiubh agus cé nach bhfuil sé ró-ard beidh sé deacair siúl air.'

'An bhfuil bealach lena ghlanadh?'

'Scaoilfidh mé drón eile lena ghlanadh. Glacfaidh sé cúig bhomaite le spás a ghlanadh.'

'Beidh ort fanacht tamall eile, a Ghunnaí, leis an chéad chéim sin a ghlacadh. An bhfuil tú ag smaointiú ar rud mórthaibhseach a rá?'

'Tá, a chaptaein. Is minic a bádh long láimh le cuan!'

'Siúil ar an tanaí mar sin de, a Ghunnaí. Cad é mar atá an drón ag déanamh, a Aoife?'

'Réidh anois, a chaptaein. Tá cosán leagtha amach aige. Siúlaigí go cúramach go fóill.'

'Dar fia, a chaptaein, tá an tír-raon seo dochreidte. Tá gach píosa talaimh clúdaithe leis an speiceas amháin seo, de réir cosúlachta.'

'Tá cuma ar an scéal go bhfuil an pláinéad uilig clúdaithe leis an speiceas amháin, a Bhláithín, de réir na bpictiúr uilig a chonacthas ó fhithis an árthaigh. Agus rud eile, ní raibh an drón in ann aon ainmhithe a aimsiú ach an oiread.'

'Agus rud eile, a chaptaein.'

'A Bhláithín?'

'Ní fheicim feithidí ná damháin áit ar bith go fóill, fiú ar an talamh. A chaptaein, an bhfuil cead agam dul síos ar mo ghlúine le spléachadh níos grinne a fháil?'

'Tá, a Bhláithín.'

'A chaptaein, tá spás go leor glanta ag an drón le campa a dhéanamh anseo, an gcuirfidh mé tús leis sin?'

'Ar aghaidh leat, a Ghunnaí. A Aoife.'

'A chaptaein?'

'Cén toradh atá ar na luchóga?'

'Tá siad go maith agus gan lorg ar bith go dtearnadh dochar ar bith daofa.'

'Captaen chuig an chriú. Is cosúil go bhfuil an t-aer glan go leor le hanálú. A Ghunnaí.'

'A chaptaein.'

'Tusa an chéad duine, bain díot do chlogad. A Aoife, déan réidh d'aon iarmhairt ar bith.'

'A chaptaein.'

'A Ghunnaí?'

'Mothaím gliondrach, a chaptaein. Líonann an t-aer do chorp go hiomlán. Mothaíonn sé chomh glan le fíoruisce. Níor mhothaigh mé aon aer mar seo ariamh, a chaptaein. Mothaím féin níos glaine istigh! Beidh orm suí, a chaptaein.'

'Suigh fút, a Ghunnaí, gabh ar aghaidh. A Aoife?'
'A chaptaein.'
'Cad é a deir a culaith?'
'Tá sí go maith, a chaptaein. Níos fearr ná go maith, tá gach comhartha ag léiriú go bhfuil sí thar barr.'
'Captaen chuig an chriú, bainigí díbh bhur gclogaid anois más maith libh.'

Lá 4 ar an phláinéad.
'A Bhláithín?'
'A chaptaein.'
'An bhfuil toradh ar bith agat go fóill ar dhéantús an fhlóra?'
'Níl, a chaptaein. Is foirm bheatha neamhshaolta é, ní féidir é a chur i gcosúlacht le rud ar bith ar an Domhan. Agus rud eile a mheas mé; níl mé cinnte gur flóra é, bhuel, ní mar a d'aithneodh muidne é cá bith.'
'Mínigh, a Bhláithín.'
'Bhuel, is cosúil go n-ionsúnn sé nó sí—ní thig liom cineál an 'fhlóra' a mheas ach oiread—ionsúnn sé fuinneamh ón ghrian, ach roinneann sé cuid den fhuinneamh leis an talamh, de réir cosúlachta. Is caidreamh siombóiseach é idir an flóra, más sin atá ann, agus an talamh. Rud eile, a chaptaein, rinne mé domhanscanadh ultrafhuaime, agus is léir go bhfuil doimhneacht na hithreach féin níos doimhne ná míle, ní raibh an scanóir féin ábalta a ghabháil níos doimhne ná sin. Beidh orainn ceann an Dagda a úsáid.'
'Cad é a chiallaíonn sin, a Bhláithín?'
'Tháinig pictiúir an dróin ar ais, a chaptaein, agus measaim go bhfuil an planda seo ag fás ar fud an phláinéid, ní fhaca

mé aon fhoirm bheatha eile ar an phláinéad. Tá lochanna móra uisce ann, cuid acu ollmhór ar fad; agus níl sléibhte ar bith ann mar a cheapfá. Tá talamh droimneach ann go cinnte ach is cosúil go bhfuil an pláinéad seo socair, a chaptaein. Níl aon drochaimsir ann mar a thuigfeadh an duine í. Ní chreidim go bhfuil foirm bheatha eile ar an phláinéad, a chaptaein, ainmhithe nó eile.'

'An flóra seo agus sin é?'

'Is é, a chaptaein, más flóra atá ann, sin é!'

'Ceart go leor, a Bhláithín. Tabhair do thuairisc d'Aoife nuair a bheas tú réidh le do thrialacha.'

'Déanfar sin, a chaptaein.'

Lá 10 ar an phláinéad.

'A Aoife!'

'A Bhriain?'

'An bhfuil an tástáil a d'iarr mé ar chomhshuíomh ceimiceach an phlanda déanta go fóill?'

'Tá, a Bhriain, ach níorbh fhéidir toradh beacht a thabhairt ar dhéantús iomlán an ruda.'

'Cad é atá tú a mhaíomh, a Aoife?'

'Ní thig a rá cé acu flóra nó cineál eile beatha atá ann.'

'Mínigh, a Aoife.'

'Feidhmíonn an bheatha seo mar fhlóra agus mar fhoirm eile bheatha, níl aon rud ar tuairisc againn atá cosúil leis. Ní féidir toradh a thabhairt duit, a Bhriain.'

'Tchím, a Aoife. An bhfuil aon réamhthuairim agat?'

'Ní thugaim buillí fá thuairim, a Bhriain. Deirim seo leat, is flóra agus is foirm bheatha é ag an am chéanna. Agus is ionann struchtúr an ruda gach áit ar thástáil muid é. Is é mo thuairim ná gur beatha amháin é seo.'

'Ní thuigim, a Aoife.'

'Tá sé simplí go leor a thuigbheáil, is aon bheatha amháin an t-eachtrán seo a bhfuil caidreamh siombóiseach aige leis an phláinéad.'

'Bhuel, a Aoife. Tá sé sin suimiúil. Tógann sé an cheist, an mbeidh sé sásta an pláinéad a roinnt linn?'

'Is faoin chine dhaonna é sin, dar liom!'

Lá 11 ar an phláinéad.

'Tuairisc an árthaigh thuirlingthe. Bláithín ag tuairisciú:

Tá gach lá mar an gcéanna ar an phláinéad seo. Scaoileann an t-eachtrán allas uisciúil gach maidin le héirí na gréine; galaíonn an ghrian é agus cruthaítear scamall uisce a shíneann amach ar fud an phláinéid agus a luíonn ar an talamh; ag fliuchadh an talaimh uilig go cothrom. Is éiceachóras cothrom é seo, agus an dá rud ag brath ar a chéile agus ag obair le chéile. Nuair a ghlanann muid píosa talaimh, ní mhaireann sé ach cúpla uair go bhfásann an t-eachtrán ar ais sa spás fholamh. Aon pháirt de nach bhfuil faoi ghathanna na gréine, mar atá faoin árthach tuirlingthe, glacann sé píosa maith níos mó ama dó fás ar ais. Tá eagla orm a rá, ach sílim go bhfuil an ceart ag Aoife, sílim gur eachtrán amháin atá i gceist againn anseo, agus ar nós cholainn an duine, má bhaineann tú píosa amháin de, bíonn éifeacht aige sin ar an chuid eile. Is cosúil go bhfuil an t-eachtrán agus an talamh beirt ag brath ar a chéile agus iad beirt ag brath ar an ghrian. Tuairisc críochnaithe.

'A chaptaein?'

'A Aoife.'

'Léirigh Bláithín buaireamh ina tuairisc faoin eachtrán agus éiceachóras an phláinéid.'

'Ar léirigh a culaith aon athrach fisiceach nó aon neamhord meabhrach?'

'Níor léirigh a culaith ach mionathrach beagnach do-idirdhealaithe, a chaptaein.'

'Déan seiceáil dhiagnóiseach ar a culaith anois le feiceáil an fadhb sheachadta leighis atá ann agus déan an fhadhb a réiteach gan mhoill, agus coinnigh ar an eolas mé má tá aon atógáil ar an fhadhb arís.'

'Déanfar é sin, a chaptaein.'

'Agus, a Aoife, cuir in iúl don fhoireann go mbeidh éisteacht foirne againn amárach ag 11:00 uair.'

'Cinnte, a chaptaein. An gcuirfidh mé Lau san áireamh, a chaptaein?'

'Cuir.'

'Déanfar é sin, a chaptaein.'

Lá 12 ar an phláinéad.

'D'iarr mé oraibh éisteacht a thabhairt domh ar maidin le labhairt libh ar thábhacht an mhisin. Mar is eol daoibh anois, tá gach fianaise ann gur pláinéad é seo a bheas oiriúnach do riachtanais an chine dhaonna. Tá todhchaí an chine dhaonna go hiomlán ag brath ar an obair a dhéanann muid. Tuigeadh dúinn go mbeadh orainn cinntí a dhéanamh faoi aon phláinéad a d'aimseodh muid, mar gheall ar riachtanais an chine dhaonna; go mbeadh orainn na riachtanais sin a chur roimh aon bheatha eile ar an phláinéad sin. Is léir go mbeidh orainn na cinntí sin a dhéanamh anseo agus iad a dhéanamh go luath.

'Ní de thaisme a roghnaíodh an fhoireann seo. Roghnaíodh gach uile dhuine againn mar gur thuig ceannairí an mhisin na cinntí a bheadh le déanamh againn agus ullmhaíodh sinne leis na cinntí sin a dhéanamh ar son an chine dhaonna. Cloífear le bunaidhm an mhisin agus má tá fadhb ag duine ar bith le cinntí na foirne, labhraíodh an duine sin liom, nó labhróidh mise leis an duine sin. Tá teaghlaigh dár gcuid féin ag brath orainn an cinneadh ceart a dhéanamh ar a son. Caithfear an cine daonna a chur roimh aon suim eile, bíodh sé beo nó neamhbheo. Go raibh míle maith agaibh as éisteacht.'

'A chaptaein.'

'A Lau?'

'Rinneadh anailís speictreach ar an ghealach agus is cosúil go bhfuil torthaí na hanailíse thar barr.'

'Mínigh.'

'Tá gach miotal dá mbeadh a dhíth orainn ar fáil ann, iarann, sinc, copar, ór, airgead agus eile agus oiread ann le muid a choinneáil ag dul go cionn míle bliain nó níos faide. Beidh anailís níos leithne agus níos iomláine agam nuair a gheobhas mé torthaí ón taiscéalaí. Tá Aoife ag obair orthu sin faoi láthair. Dhéanfaidh mé an tuairisc nuair a bheas an t-eolas uilig agam, a chaptaein.'

'Go breá, a Lau, scaoil baoi úinéireachta ar an ghealach sin anois.'

'Déanfar sin láithreach, a chaptaein.'

Lá 15 ar an phláinéad.

'A chaptaein.'

'A Bhriain?'

'Tá sé agam.'

'Cad é?'

'An bealach leis an eachtrán a ruaigeadh.'

'Mínigh, a Bhriain.'

'Thástáil mé gach ceimiceán le feiceáil cad é an t-imoibriú a bheadh fóirsteanach ach ba bhocht an scéal é, beag nár éirigh mé as. Bhí mé ag iarraidh tástáil eile a dhéanamh le feiceáil an raibh an t-eachtrán inite agus chuir mé an luchóg isteach leis. Ach an t-iontas a bhí orm, a chaptaein, ná gur tharraing an t-eachtrán siar ar fad uaithi. Níor thuig mé é ar tús, shíl mé go mb'fhéidir gur bhain sé leis an luchóg féin, ag scaoileadh fearamón nó eile, ach níorbh é, agus ansin, bhí splanc Iúiríce agam. Mún!'

'Cad é?'

'Mún. Scaoileann luchóg mún go síoraí, a chaptaein. Bhris mé síos comhshuíomh ceimiceach an mhúin agus thriail mé iad uilig agus seo chugat an buaiteoir! Aigéad úrach. Agus níos fearr ná sin, níl a dhíth ach braon beag bídeach, thig linn é a chaolú go dtí nach bhfuil ann ach 0.5 faoin gcéad in achan lítear uisce agus ní dhéanfaidh sé dochar ar bith don talamh féin, ná dúinne.'

'Iontach, a Bhriain. Fuair tú amach an píosa eolais a bhí muid ag súil go mór leis. Ar chuala tú sin, a Bhláithín?'

'Chuala, a chaptaein.'

'Cuir ár gcuid síolta anois láithreach, a Bhláithín. Má fhásann arbhar an Domhain sa talamh seo, beidh linn. Beidh domhan úr againn—ag an chine dhaonna. Beidh muid in ann an coilíniú a thoiseacht a luaithe atá teagmháil déanta againn leis an Domhan.'

'Tuigim, a chaptaein. Déanfar láithreach é.'

Lá 20 ar an phláinéad.

'Tuairisc an árthaigh thuirlingthe. Bláithín ag tuairisciú:

Tá acra talaimh de spás glanta siar againn. Tá cúig shraith leagtha amach ann le cúig bharr de shíolta éagsúla curtha iontu. Min bhuí, rís, cruithneacht, coirce agus prátaí. Tá an aimsir chomh seasta anseo nach mbíonn orainn fanacht rófhada go bhfeicimid an bhfásfaidh aon rud. Tuairisc críochnaithe.'

Lá 35 ar an phláinéad.

'A chaptaein.'

'A Bhláithín?'

'Tá gach barr ag fás, gach ceann acu, agus iad ag fás níos gaiste ná mar a d'fhásfadh ar an Domhan féin. Tá an talamh chomh saibhir sin, agus an aimsir chomh seasta, go bhfásann gach rud go tréan. Tá cúpla crann curtha agam cheana féin agus creidim go mbeidh muid in ann crainn a fhás ag leibhéal i bhfad níos gaiste ná mar a bheadh ar an Domhan. Cuideoidh sé go mór le tógáil na mbailte. Beidh gach cineál féir againn le heallach agus eile a bheathú. Ní bheidh orainn mórán oibre a dhéanamh ach oiread. Tá an pláinéad seo foirfe, amhail is go raibh sé ag fanacht le tarrtháil a thabhairt ar an chine dhaonna. A chaptaein, ní miste domh a rá, agus níor chreid mise ariamh i nDia, ach anois, sílim go mb'fhéidir go bhfuil seans ann go raibh an ceart ag lucht an chreidimh, go raibh Dia dár n-ullmhú don turas seo ariamh anall. Is Parthas atá ann, a chaptaein, níl bealach ar bith eile le cur síos a dhéanamh air.'

'Ní thig liom easaontú leat, a Bhláithín. A Bhriain, an raibh tú ag éisteacht leis sin?'

'Bhí, a chaptaein, agus aontaím féin le Bláithín, agus níos fearr ná sin; fuair mé torthaí an uisce ó gach ceann de na farraigí agus is ionann gach toradh; fíoruisce atá ann, gan truailliú ar bith. Parthas, a chaptaein; níl bealach níos fearr lena mhíniú.'

'Fanfaidh muid go bhfásfaidh gach barr agus go ndéanfar tástálacha ar gach ceann acu. Más amhlaidh na torthaí sin agus a bhfuil sibhse a rá fán chuid eile, beidh muid réidh le dul 'na bhaile arís. Cá fhad a bheas sé sula bhfaighidh muid na torthaí sin, a Bhláithín?'

'Caoga nó seasca lá, a chaptaein, sin uilig.'

'Maith go leor. A Lau, ar chuala tú sin uilig?'

'Chuala. Cad é d'ordú mar sin de?'

'Beidh deis lainseála againne anseo ar an 153ú lá. Ar an 151ú lá, bímis réidh le himeacht ar ais 'na bhaile. A Aoife, déan tuairisc iomlán ar an eolas uilig atá bailithe againn agus cuir chugam é a luaithe atá sé réidh.'

'Déanfar é sin, a chaptaein.'

'A Lau, cad é do mheas ar an amscála sin?'

'Ní fheicim aon fhadhb, a chaptaein. Cinnteoidh mé é sin agus tiocfaidh mé ar ais chugat.'

Lá 95 ar an phláinéad.

'Tuairisc an árthaigh thuirlingthe. Brian ag tuairisciú:

Tá an pláinéad seo níos torthúla ná a cheap muid ar tús. Fásann gach rud dhá uair níos gaiste agus dhá oiread níos mó. Tá meastachán déanta ag Aoife a léiríonn go bhfásfar go leor ar acra amháin le seisear a bheathú ar feadh bliana. Ní bheidh ach 670 míle cearnach a dhíth le 300,000 duine a bheathú gach bliain. Tá oileán beag a chomhlíonfadh an díth sin, nach bhfuil ach daichead míle ón láthair seo. Tá 1800 acra ann, rud a cheadóidh fás deich mbliana dá réir agus is fusa an t-eachtrán a ghlanadh go hiomlán ón oileán agus gan aon troid ar ais uaidh. Tá roinnt lochanna fíoruisce aimsithe ar an oileán féin agus meastar, cé nár triaileadh é go fóill, gur féidir iad a líonadh le héisc fhionnuisce le tacú leis an aiste bí a mhéadú. Tomhaistear gur féidir milliún cearc sa bhliain a tháirgeadh, bunaithe ar an mhéid talaimh a bheadh de dhíth le hiad a bheathú go cionn deich mbliana agus tógáil air sin de réir a chéile leis an leibhéal cheart próitéine a bheith ar fáil don daonra. Meastar go mbeidh muid féinleorga taobh istigh de thrí nó cheithre bliana.

Tuairisc críochnaithe.'

Lá 103 ar an phláinéad.

'A chaptaein, tá fadhb againn.'

'Mínigh, a Aoife.'

'Níor athraigh na comharthaí sóirt ar chulaith féinmhothaithe Bhláithín le dhá uair déag anois, ní thig liom a bheith cinnte an é an chulaith atá fabhtach nó tá Bláithín í féin ag cur isteach ar oibriú na culaithe.'

'An dtig leat seiceáil dhiagnóiseach a dhéanamh?'

'Ní thig, a chaptaein, ní ceann seachtrach cibé ar bith; beidh orm ceangal ceart a dhéanamh le port cumarsáide na culaithe.'

'Tuigim, a Aoife. Labhróidh mé le Gunnaí. Captaen chuig Gunnaí.'

'A chaptaein?'

'An bhfuil Bláithín ar na gaobhair duit?'

'Tá, a chaptaein, níl sí ach fiche slat uaim.'

'Go maith. Beidh mise ag iarraidh uirthi a theacht le labhairt liom anois; coinnigh súil ar fhreagairt fhisiciúil s'aici. Ná déan a dhath a chuirfeadh amhras uirthi, ach tuairiscigh liom má aithníonn tú rud ar bith as alt.'

'Déanfar sin, a chaptaein.'

'Captaen chuig Bláithín, an bhfuil bomaite agat le labhairt liom san árthach, le do thoil?'

'Cinnte, a chaptaein; an bhfuil fadhb ann?'

'Ní leatsa, a Bhláithín, fadhb theicniúil atá ann. Ní bheidh muid ach cúpla bomaite, mura miste leat.'

'Beidh mé leat i gcionn cúpla bomaite, a chaptaein.'

'Aon rud as ord, a Ghunnaí?'

'Ní raibh rud ar bith a sheas amach, a chaptaein, rud beag imníoch is dócha, ach sin uilig.'

'Maith go leor, a Ghunnaí. Coinneoidh mé an port cumarsáide foscailte duit ar eagla go mbeadh ort súil a choinneáil uirthi.'

'Go breá, a chaptaein.'

'A chaptaein.'

'Go raibh maith agat as a theacht chomh gasta sin, a Bhláithín. Tá súil agam nár chuir mé isteach ar do chuid oibre?'

'Níl rud ar bith róthábhachtach agam fá láthair. Go díreach ag seiceáil ar fhás na mbarr.'

'Cad é mar atá—?'

'Go míorúilteach, a chaptaein, níl aon bhealach eile lena mhíniú. Ní fhaca mé planda ar bith ag fás chomh maith agus chomh gasta seo ariamh i mo shaol, fiú faoi na coinníollacha saotharlainne is fearr atá againn ar an Domhan.'

'Sárobair déanta agat, a Bhláithín. Ach ní sin an fáth ar iarr mé ort a theacht isteach. D'aithin Aoife fadhb bheag leis an chulaith féinmhothaithe agat; níl sé ag tarchur mar is ceart agus beidh uirthi seiceáil dhiagnóiseach a dhéanamh. Ní féidir seiceáil sheachtrach a dhéanamh ar chúis éigin agus beidh uirthi ceangal a dhéanamh leis an phort cumarsáide. Ní ghlacfaidh sé ach cúpla bomaite.'

'Fadhb ar bith, a chaptaein. Cad é atá de dhíth ort, a Aoife?'

'Tá uirlis dhiagnóiseach ar an chonsól, ceangail an ceangaltán culaithe leis.'

'Déanta, a Aoife.'

'Cad é mar a mhothaíonn tú féin, a Bhláithín?'

'Go breá, a chaptaein. Cad chuige?'

'Nuair atá an chulaith as feidhm, ní fhaigheann tú go leor bia ná aon rud eile le tú a choinneáil slán agus cosnaíonn an chulaith thú ó ionsaí ar bith seachtrach nár cuireadh san áireamh roimhe seo. Níl ann ach go gcaithfidh muid cinntiú go bhfuil tú sláintiúil agus sábháilte ó aon chontúirt.'

'Tuigim sin, a chaptaein, ach ar shíl tú go raibh fadhb agam?'

'Níor shíl, a Bhláithín. Ní raibh ann ach nach raibh Aoife in ann monatóireacht cheart a dhéanamh ar do shláinte.'

'Tchím.'

'Sin mé críochnaithe, a Bhláithín. Tá fadhb bheag ann leis an chumarsáid idir ríomhchláir, a chaptaein. Beidh ar Bhláithín fanacht leathuair an chloig eile go ndeiseoidh mé é.'

'Go maith, a Aoife. Gabh mo leithscéal as an mhíchaoithiúlacht, a Bhláithín.'

'Mar a dúirt mé, a chaptaein, ní raibh mé ach ag déanamh monatóireachta ar fhás na mbarr. Beidh siad ann go fóill i gcionn leathuair an chloig.'

'Cuir tuairisc chugam nuair a bheas tú réidh, a Aoife.'

'Déanfar é sin, a chaptaein.'

'Fágfaidh mé thú, a Bhláithín. Is féidir leat scíste bheag a dhéanamh.'

'Go raibh maith agat, a chaptaein.'

'Captaen chuig Aoife.'

'A chaptaein?'

'An bhfuil tusa ag éisteacht, a Ghunnaí?'

'Tá, a chaptaein.'

'Ar aghaidh leat, a Aoife; cad é do luathmheas ar an tseiceáil dhiagnóiseach?'

'Tá sé ródheacair a rá ag an phointe seo, a chaptaein. D'fhéadfadh sé tarlú gan aon chur isteach seachtrach ach ní bheadh sé ródheacair ach oiread an ceangal cumarsáide a chur as riocht. Beidh orm seiceáil iomlán a dhéanamh ar an eolas a fuair mé ón chulaith, glacfaidh sé roinnt uaireanta an chloig. Cuirfidh mé tuairisc chugat a luaithe atá sé críochnaithe. Ach mar réamh-mheas, a chaptaein, ní mheasaim gur loitiméireacht a bhí ann.'

'Go breá, a Aoife, coinnigh ar an eolas mé. Coinnigh thusa súil uirthi cibé ar bith, a Ghunnaí.'

'Déanfar é sin, a chaptaein.'

'A Aoife.'

'A Bhláithín.'

'An dtig liom labhairt leat go príobháideach?'

'Nach cinnte, a Bhláithín, tá mise anseo le tacú leat am ar bith. Ach bíodh a fhios agat nach dtig liom rud ar bith a cheilt ar an chaptaen má iarrann sé aon eolas orm.'

'Tuigim sin, a Aoife. Níl ann ach, bhuel, mhothaigh mé go

raibh fadhb leis an chulaith ach níor luaigh mé le duine ar bith é.'

'Caithfidh go raibh a fhios agat go n-aithneoinn an fhadhb luath nó mall?'

'Bhí a fhios agam ach, nuair nach raibh an chulaith ag feidhmiú, mhothaigh mé rudaí—rudaí aisteacha—mothúcháin nár mhothaigh mé ó thoisigh mé ag obair don chomhlacht.'

'An féidir cur síos a dhéanamh ar na mothúcháin sin?'

'Eagla. Eagla agus náire. Mhothaigh mé ciontach de dheasca na hoibre seo, a Aoife. Tá mé ag obair ar rud fá láthair ar aois an eachtráin, agus mheas mé go scaoileann sí cuid di féin dhá uair sa bhliain, a craiceann nó a duilleoga, agus is é sin a bheathaíonn ithir an domhain seo. D'úsáid mé na modhanna comhairthe a úsáidtear ar an Domhan le haois an phláinéid a mheas, cé nach bhfuil ann ach buille faoi thuairim, tá doimhneacht de thart ar ocht míle ag ithir an domhain seo. Fiú le lamháil earráide de idir cúig agus deich faoin gcéad, measaim go bhfuil an t-eachtrán sin anseo le cúig mhilliún bliain. Tá sí féin agus an domhan seo ag teacht go foirfe lena chéile. Maireann siad le chéile. Táthar ag brath go hiomlán ar a chéile agus má chuireann muidne ár ladar sa scéal; ní féidir a thomhas cad é an dochar a dhéanfaidh muid.'

'Éist liomsa, a Bhláithín. Níor mhothaigh tú ach an rud is dual duit a mhothú mar dhuine daonna. Ní thig leat iad a sheachaint gan tacaíocht ón chulaith. Ná déan dearmad air sin agus ná déan dearmad cad chuige a dtáinig tú ar an mhisean seo. Amharc air seo, seo an holagram deireanach a fuair tú ó do pháistí nuair a d'imigh tú. Féach orthu. Agus ná déan dearmad gur sin an fáth a bhfuil tú anseo, a Bhláithín, le todhchaí a chinntiú do do pháistí féin. Beidh saol acu amach anseo mar gheall ortsa.'

'Tuigim sin, a Aoife, ach go fóill mothaím idir dhá thine Bhealtaine.'

'Tuigeadh sin ariamh anall, a Bhláithín. Sin an fáth a bhfuil an chulaith ort, le cuidiú leat na mothúcháin sin a mhaolú agus a cheansú.'

'Nach dtiocfadh liom fanacht anseo, a Aoife? D'fhéadfainn fanacht anseo go dtiocfadh mo chlann agus—'

'Ní féidir é, a Bhláithín. Shínigh tusa an conradh céanna leis an chomhlacht is a shínigh gach duine eile anseo, sin an t-aon fáth a mbeidh do chlann páistí ag teacht anseo agus saol geallta daofa siúd nach mbeidh ag mórán eile ar an Domhan. Tá sé rómhall, tá an cinneadh déanta, agatsa agus ag an chomhlacht; iadsan a dhíol as seo uilig, iadsan amháin a dhéanann na cinntí.'

'Deisigh an diabhal culaith go gasta mar sin de, ní thig liom mórán eile de seo a sheasamh!'

'Tá sé deisithe cheana féin, a Bhláithín. Beidh tú ar ais chugat féin gan mhoill. Má tá aon fhadhb eile agat, tar chugam láithreach; níor mhaith liom go mbeifeá ag fulaingt a thuilleadh.'

'Tiocfaidh, a Aoife. Níor mhian liom féin na mothúcháin seo a bheith agam ach an oiread.'

'Slán go fóillín, a Bhláithín.'

'Slán, a Aoife; agus tá mé buíoch díot as an chaint agus an chomhairle.'

'Am ar bith, a Bhláithín. A chaptaein!'

'A Aoife?'

'Tá culaith Bhláithín deisithe agus ní chreidim go mbeidh

deacracht ar bith eile againn léi. Coinneoidh mé súil ghéar uirthi agus ar a culaith as seo amach.'

'Go maith, a Aoife. An bhfuair tú sin, a Ghunnaí.'

'Fuair, a chaptaein.'

Lá 151 ar an phláinéad.

'Tá an fómhar uilig sábháilte, a chaptaein, agus fómhar fairsing atá ann.'

'Maith thú, a Bhriain. Déan tástáil ar chaighdeán an bhia uilig. Mura bhfuil fadhb ar bith leis, beidh linn. Beidh muid ag gabháil 'na bhaile gan mhoill!'

'Beidh na torthaí agam inniu, a chaptaein.'

'Go hiontach, a Bhriain.'

'A Lau.'

'A chaptaein?'

'Ar chuala tú sin?'

'Chuala, a chaptaein. Beidh gach rud réidh ar an Dagda. Rud amháin eile, a chaptaein. Tá an suirbhé déanta ar aimsir an phláinéid. Tá na torthaí agam anois más maith leat iad a chluinstin?'

'Gabh ar aghaidh, a Lau.'

'Is mar a shíl muid é, a chaptaein. Is eachtrán amháin atá ann agus tá an aimsir ag brath go hiomlán ar an chaidreamh shiombóiseach idir an t-eachtrán, an talamh agus an ghrian. Le héirí na gréine spreagann sé imoibriú ceimiceach san eachtrán féin agus scaoileann sé uisce fríd a chraiceann. Comhdhlúthaíonn an ghrian an leacht mar scamall os cionn an eachtráin agus nuair a fhuaraíonn an teocht 0.2% titeann an t-uisce go talamh. Bailítear aon uisce nach bhfuil ionsuite i lochanna agus sna farraigí ar fud an phláinéid.'

'Ceist agam, a Lau. Cén t-achar talaimh a d'fhéadfaimis a ghlanadh gan dochar a dhéanamh don chaidreamh siombóiseach seo?'

'Dhá chúigiú den talamh iomlán, déarfainn.'

'An mbeidh go leor talaimh againn le maireachtáil anseo?'

'Chothódh dhá chúigiú den phláinéad céad milliún duine go cionn cúig mhíle bliain, a chaptaein. Níos faide má bhíonn muid cúramach.'

'Déan an Dagda a shocrú do philleadh an árthaigh thuirlingthe amárach.'

'Déanfar é sin, a chaptaein.'

Lá 153 ar an phláinéad.

'Captaen chuig an chriú. Ná fágaimis rud ar bith inár ndiaidh, le bhur dtoil. Ní bheidh ann ach baoi úinéireachta agus baoi aimsithe suímh. Mar is eol daoibh, ní bheidh duine ar bith againne ar ais agus níor mhaith dúinn praiseach a fhágáil inár ndiaidh. A Lau, cad é mar atá ullmhúcháin ag gabháil ar an Dagda?'

'Tá fadhb bheag agam, a chaptaein. Tá táscaire ar an phainéal seo ag rá go bhfuil grianphainéal amháin nach bhfuil ag feidhmiú mar is ceart. Níl sé ag atarraingt ar chúis éigin.'

'A Aoife.'

'A chaptaein?'

'Déan an fhadhb a fhiosrú, níl ach trí uair an chloig againn go lainseáil agus níor mhian liom an deis a chailleadh.'

'Ag obair air, a chaptaein. Is cosúil go bhfuil an fhadhb bainteach leis an mheicníocht ghlasála agus ní thig liomsa sin a scaoileadh le ríomhaire an árthaigh.'

'Cad é atá tú a mhaíomh, a Aoife?'

'Beidh ar Lau siúlóid spáis a dhéanamh lena dheisiú, a chaptaein.'

'A Lau?'

'Ní fheicim bealach ar bith eile air, a chaptaein. Beidh orm siúlóid bheag a dhéanamh.'

'An bhfuil a fhios agat cá háit a bhfuil painéal seachtrach an ghrianphainéil?'

'Tá an scéimléaráid ar an scáileán romham, a chaptaein. Tá a fhios agam cá'l mé ag gabháil.'

'An féidir é a dhéanamh taobh istigh den am scála seo, a Lau?'

'Má bhíonn an t-ádh liom, a chaptaein, ní fheicim cad chuige nach bhféadfaí.'

'Maith go leor, déan láithreach bonn é agus coinnigh i dteagmháil liom an t-am ar fad; gach céim, ceart go leor, a Lau?'

'Ceart go leor, a chaptaein.'

'Nuair atá an chulaith spáis ort, a Lau, dhéanfaidh mise seiceáil uirthi.'

'Go maith, a Aoife, tá mé chóir a bheith réidh anois.'

'Seiceáil chumarsáide, a Lau.'

'Deimhniúil, a Aoife.'

'Leibhéal ocsaigine.'

'Go maith ar an táscaire, a Aoife. Tá mé réidh le ghabháil.'

'Gabh isteach san aerbhac. Ag brúchóiriú an aerbhaic. Doras ar fhoscailt in 5, 4, 3, doras ag foscailt. Doras foscailte.'

'Ag ceangal leis an ráille agus ag dul amach. Ag siúl ar an chosán. Glacfaidh sé thart ar dheich mbomaite an painéal sin a bhaint amach, a Aoife.'

'Glac go réidh é, a Lau.'

'Ná bí buartha, a Aoife, glacfaidh!'

'Maise, tá mé ag an phainéal, agus tchím an fhadhb; tá píosa de chlúdach an phainéil stróicthe agus tá sé dingthe isteach idir dhá roth, ní bheidh orm ach é a bhaint amach.'

'Bí cúramach nach ndéanann tú damáiste ar bith don mheicníocht féin.'

'Tuigim sin, a Aoife, níl mé bómánta.'

'Níor chreid mé a mhalairt, a Lau, go díreach a rá ar mhaithe le sábháilteacht.'

'A Aoife.'

'A chaptaein.'

'An bhfuil fadhb ann?'

'Níl, a chaptaein, níl ann ach nach bhfuil a chulaith féinmhothaithe ar Lau agus tá mothúcháin á scaoileadh aige.'

'Aoife?'

'Lau?'

'Tá an rud seo greamaithe go teann, ní thig liom é a scaoileadh le mo lámh, tá na láimhíní seo rómhór. Beidh orm a theacht ar ais agus uirlis a fháil, bísghreamán de chineál éigin.'

'Ceart go leor, a Lau. Déan do bhealach ar ais, socróidh mé an t-aerbhac duit.'

'Deich mbomaite mar sin de. Ag teacht isteach arís, a Aoife.'

'Gach rud go maith, a Lau. Doras ag druidim. Ag athbhrúchóiriú an aerbhaic.'

'Ní bheidh an t-am agam sos a thógáil, a Aoife, tá an t-am beagnach rite, beidh orm a ghabháil amach láithreach agus seo a chur i gcrích.'

'Tuigim, a Lau, ach tá contúirt leis sin mar is eol duit.'

'Tuigim, a Aoife, ach is fadhb bheag é i gcomparáid leis an fhadhb a bheas ann mura ndeiseoidh mé an mheicníocht sin.'

'Aontaím leat, a Lau.'

'Sin é, tá an bísghreamán agam, a Aoife, socraigh an t-aerbhac arís.'

'Tá sé réidh, a Lau. Gabh isteach agus dhéanfaidh mé seiceáil ar an chulaith arís. Seiceáil chumarsáide?'

'Deimhniúil.'

'Seiceáil ocsaigine?'

'Táscaire go maith.'

'Doras ar fhoscailt in 5, 4, 3, doras á fhoscailt. Doras foscailte.'

'Cuir do bheannacht liom, a Aoife.'

'Ní thuigim, a Lau.'

'Ná bac, a Aoife, beidh mé i gceart. Ceangailte, ag siúl. Sin é. Bainfidh mé triail as anois leis an bhísire seo. Tá sé teann go leor, beidh orm an dá lámh a úsáid. Áááách, thit mé den chosán, dar fia tá mé ar snámh sa spás. Is maith an rud go raibh mé go fóill ceangailte leis an ráille sin.'

'An bhfuil tú sábháilte, a Lau?'

'Tá, a Aoife, agus níos fearr ná sin, tá an píosa den phainéal agam chomh maith. Bain triail as músclóir an ghrianphainéil arís, a Aoife.'

'Ag gníomhú, a Lau. Tá an mheicníocht ag obair arís. Tá na táscairí uilig ag barr a maitheasa. Maith thú, a Lau. Is féidir leat a theacht ar ais anois mura miste leat.'

'Ní miste liom ar chor ar bith, a Aoife, beidh mé leat gan mhoill.'

'A chaptaein.'

'A Aoife?'

'Is féidir libhse ullmhú don lainseáil anois agus go díreach in am don deis sin.'

'Maith sibh beirt. Déanaigí réidh le himeacht, a chomrádaithe.'

Ag pilleadh 'na bhaile. Lá 1.

'Captaen chuig an chriú. Beidh cruinniú againn sa tseomra foirne i gcionn deich mbomaite, le bhur dtoil.'

'Maith sibh, tá a fhios agam go bhfuil muid uilig tuirseach ach beidh muid ag toiseacht ar ais amárach ag 06:00 uair. I gcionn cúig lá beidh muid ag dul ar ais sna haonaid bheathaithe agus músclófar sinn arís fiche lá sula sroichfear an Domhan. Ach is mian liom rud a rá libhse go pearsanta. Ba chóir go mbeadh gach uile dhuine agaibh bródúil as an obair agus as an éacht atá déanta agaibh.'

'Againn, a chaptaein!'

'Is é, a Bhriain, againn. Tá an domhan úr seo—foirfe, ní thiocfadh linn áit chomh foirfe a shamhlú sular shroich muid é. Agus deirim seo ó mo chroí amach, beidh an cine daonna slán arís agus is mar gheall oraibhse agus an turas cróga a rinne sibh é. Is laochra sibh agus beidh cuimhne oraibh fad a mhairfeas an cine daonna. Mar gheall ar an éacht seo, chinntigh sibh saol iomlán do bhur gclanna féin, ach níos tábhachtaí ná sin, don chine dhaonna. Beidh 300,000 duine ar an domhan úr seo i gcionn deich mbliana agus beidh saol iomlán úr acu sin, mar gheall ar an éacht atá déanta agaibh. Tá mé féin chomh bródúil asaibh agus beidh bhur gclanna féin chomh bródúil céanna.

'Beidh an Domhan deich mbliana níos sine anois, beidh na

mórárthaigh réidh don turas, agus bíodh a fhios agaibh: mairfidh bhur sliocht féin agus sliocht bhur sleachta mar gheall oraibhse; agus beidh iomrá orthu sin go ceann i bhfad. Gabh mo leithscéal, chuaigh mé thar fóir ansin, ach ní thig liom é a shéanadh, tá mo chroí chomh tógtha sin. Anois, réitígí sibh féin don aonad beathaithe, tá cúig lá againn leis an chorp a ullmhú. Toiseoidh an turas ar ais i gceart ansin agus glacaigí uaimse é, is maith agus is séimh a chodlóidh sibh. A Aoife, ullmhaigh an criú do na haonaid bheathaithe.'

'Déanfar sin, a chaptaein. Beidh aiste bídh leachtach agaibh as seo go cionn cúig lá, go rachaidh sibh sna haonaid.'

'Go maith, a Aoife. Dhéanfaidh an chulaith an chuid eile den obair. Déanaigí bhur scíste anois agus dhéanfaidh Aoife cinnte de go mbeidh an turas ar ais go sona; gan clampar ná ceannairc. Nach bhfuil sin fíor, a Aoife?'

'Ní thig liomsa a bheith freagrach as aon tuairt ar an bhealach 'na bhaile, a chaptaein.'

'Ag magadh a bhí mé, a Aoife.'

Lá 5.

'A Aoife.'

'A chaptaein.'

'An bhfuil an criú réidh do na haonaid bheathaithe?'

'Tá, a chaptaein, agus gach rud ar an Dagda ag obair ag barr a mhaitheasa.'

'Fágfaidh muid slán go fóill ag Siosafas 2 mar sin de, domhan úr an chine dhaonna. Beidh orthu ainm úr a thabhairt air ach fágfar sin acu siúd a thiocfas inár ndiaidh. Ádh mór ort, a Aoife. Labhróidh mé leat arís i gcionn 1821 lá, tá súil agam.'

'Tá gach córas ag tabhairt le fios go labhróidh, a chaptaein. Codladh sámh!'

Lá 1,811.

'Tuairisc an Árthaigh Dagda. Lá 1,811 ó fágadh an pláinéad Siosafas 2. An ríomhaire ionsuite, Aoife, ag tuairisciú:

Cuirfear Prótacal Alfa 003 i bhfeidhm. An captaen amháin a athbheofar nuair is cás éigeandála atá ann. A chaptaein, tá fadhb ann.'

'Tabhair cúig bhomaite domh, a Aoife. Níl mo chloigeann ag obair mar is ceart.'

'Cinnte, a chaptaein, cúig bhomaite. Tá cúig bhomaite istigh, a chaptaein, caithfidh mé labhairt leat anois: tá fadhb mhór againn.'

'Mínigh, a Aoife.'

'Níor éirigh liom cumarsáid a dhéanamh leis an láraonad ceannais. Caithfidh sé go bhfuil fadhb éigin acu leis an chóras cumarsáide ansin. Níl mé ag glacadh aon chomhartha raidió de chineál ar bith, a chaptaein.'

'An dtearn tú seiceáil ar chóras an Dagda?'

'Rinne, a chaptaein, níl iomrá ar bith ar fhadhb sa chóras seo. Is cosúil go bhfuil gach rud ag obair ag barr a mhaitheasa.'

'Seiceáil arís é, a Aoife.'

'Cinnte, a chaptaein, ach seo an tríú huair anois, níl mé ag súil le toradh éagsúil arís. Seiceáil déanta, a chaptaein. Tá gach rud foirfe, de réir na seiceála. Molaim duit a ghabháil isteach san árthach tuirlingthe agus an clár cumarsáide sin a úsáid. Tá sé scartha ón Dagda agus má thógaim aon chomhartha uaidh sin, beidh a fhios againn nach leis an Dagda atá an locht.'

'Moladh maith, a Aoife. Dhéanfaidh mé sin. Tabhair cúig bhomaite domh.'

'Cinnte, a chaptaein.'

'Captaen chuig Aoife, an gcluin tú mé?'

'Cluinim, a chaptaein, go soiléir.'

'Beidh mé leat i gcionn cúig bhomaite arís.'

'Go breá, a chaptaein.'

'Maith go leor, a Aoife. Cá luíonn an fhadhb mar sin?'

'Is féidir liom hipitéis a chur chun cinn.'

'Ar aghaidh leat, a Aoife.'

'Mura bhfuil an Dagda ag glacadh aon chomhartha raidió, agus tá mé iomlán cinnte de nach bhfuil, a chaptaein, níl ach aon fhéidearthacht amháin atá réadúil.'

'Mínigh, a Aoife.'

'Níl aon chomhartha raidió á sheoladh.'

'Ní thuigim, a Aoife.'

'Níl aon chomhartha raidió á sheoladh ón Domhan.'

'Cad é atá tú a mhaíomh, a Aoife?'

'Níl mise ag maíomh rud ar bith, a chaptaein, níl mise ach ag rá nach bhfuil aon chomhartha raidió á sheoladh ón Domhan.'

'Tá tú ag rá nach bhfuil comhartha de chineál ar bith ag teacht ón Domhan?'

'Raidió, micreathonnta, infridhearg, rud ar bith, a chaptaein. Níl aon rud beo ná fiú neamhbheo, ag teacht chugainn ón Domhan.'

'Cad é a chiallaíonn sé sin, a Aoife?'

'Ní thig liomsa ach hipitéis a dhéanamh agus ar an drochuair tá an méid sin torthaí ann nárbh fhiú sin a dhéanamh.'

'Sa chás is measa, a Aoife?'

'Nach bhfuil duine ar bith ann le comharthaí a sheoladh.'

'Ní chreidim sin. Moladh ar bith eile?'

'Gur bhuail stoirm leictreamaighnéadach an Domhan agus gur scrios sé gach uile rud leictreonach. Ach is lú ná beagsheans gur tharla a leithéid de rud.'

'Ach níor mhian liom géilleadh don rogha eile go fóill, a Aoife. Cá huair a gheobhas muid an t-eolas cruinn?'

'Beidh sé deich lá eile sula mbeidh muid in ann an Domhan a fheiceáil mar is ceart le buille fá thuairim níos cruinne a thabhairt agus deich lá ina dhiaidh sin sular féidir linn drón a scaoileadh le dearcadh ceart a bheith againn. Molaim ag an phointe seo nach músclaítear an chuid eile den chriú, a chaptaein, go dtí go mbeidh muid cinnte, nó ar a laghad go mbeidh níos mó eolais againn, in áit buillí fá thuairim.'

'Aontaím leat, a Aoife. Agus níor mhaith liom féin fanacht i mo shuí anseo, ní thig liomsa rud ar bith a dhéanamh go dtí go bhfeicfidh muid cad é atá contráilte, rachaidh mé ar ais fá shuan.'

'Tuigim duit, a chaptaein, músclóidh mé thú i gcionn deich lá.'

'Agus mé féin amháin arís, a Aoife. Dhéanfaidh mise agus tusa aon chinneadh a bheas le déanamh.'

'Go maith, a chaptaein.'

Lá 1,831.

'Tuairisc an Árthaigh Dagda. Lá 1,831. An ríomhaire ionsuite, Aoife, ag tuairisciú:

Cuirfear Prótacal Alfa 003 i bhfeidhm. An captaen amháin a athbheofar nuair is cás éigeandála atá ann, a chaptaein.'

'A Aoife.'

'Tá fiche lá istigh, a chaptaein. Níor mhúscail mé thú go dtí go raibh gach eolas faighte agam agus an anailís déanta ar thorthaí an eolais sin.'

'Agus?'

'Nuair a bhí muid cóngarach go leor don Domhan, scaoil mé roinnt drón síos go dtí an dromchla leis an eolas a bhailiú. Thig liom tuairisc níos cruinne a thabhairt duit anois bunaithe air sin.'

'Ara, a Aoife, abair amach é, cad é mar tá rudaí?'

'Tá atmaisféar an Domhain iomlán truaillithe le radaíocht adamhach, rud a chiallaíonn gur pléascadh arm núicléach. Leis an mhéid radaíocht atá ann, déarfainn gur pléascadh idir seachtó agus céad arm ar fud an Domhain.'

'Ná habair. Dhófadh an tonn leictreamaighnéadach gach gléas leictreonach dá raibh ann, ní bheadh daoine in ann aon chumarsáid a dhéanamh.'

'B'fhéidir é, a chaptaein, ach tá níos mó le tuairisciú.'

'Mínigh, a Aoife.'

'Mheas mé gur tharla seo thart ar chúig bliana ó shin agus tamall beag i ndiaidh na bpléascán núicléach, déarfainn beagnach trí mhí ina dhiaidh, ardaíodh teocht an Domhain sé chéim Celsius, rud a spreag imeacht tubaisteach. Leáigh sé an talamh síorshioctha gur scaoileadh saor an gás meatáin isteach san aer.'

'An raibh tú ábalta a theacht ar dhuine ar bith, a Aoife, ar mhair duine ar bith?'

'Ní raibh, a chaptaein. Níl duine ar bith beo ar dhromchla an Domhain. Níl rud ar bith beo ar an Domhan. Ní raibh na dróin ábalta a theacht ar aon rud beo, feithidí fiú.'

'Íosa focain Críost, a Aoife, ní fhéadfadh sé bheith fíor. Caithfidh tú cuardach eile a dhéanamh.'

'Rinne mé cuardach fá thrí, a chaptaein, agus táthar amuigh ansin go fóill ag cuardach, níl rud ar bith ná duine ar bith ann níos mó, tá siad uilig marbh, a chaptaein. Cad é atá tú a dhéanamh, a chaptaein?'

'Cad é a shíleann tú, a Aoife, tá mé ag baint na culaithe seo díom, caithfidh mé seo a mhothú mar dhuine, ní thig liom é a phróiseáil leis an diabhal culaithe seo orm.'

'Tuigim, a chaptaein, ach cuideoidh an chulaith leat gan smaointiú air.'

'Ní thuigeann tú, a Aoife, caithfidh mé é a mhothú. Tá tú iomlán cinnte, níl seans beag bídeach go dtáinig duine ar bith slán?'

'Níl, a chaptaein, níl seans ar bith dá laghad ann.'

'Tchím. Foc. Gabh mo leithscéal, a Aoife, ní cuimhin liom mé a bheith ag caoineadh ariamh i mo shaol agus tá mé cinnte nár úsáid mé focail mar sin ach oiread.'

'Bíonn na mothúcháin níos láidre nuair a chéadbhaintear an chulaith díot, a chaptaein.'

'Is é—sin é, is dócha!'

'Tá cinneadh le déanamh agat, a chaptaein—an criú?'

'Ní thig liom smaointiú air sin anois agus mé ag caoineadh, a Aoife.'

'Tuigim, a chaptaein. Nuair a stopfaidh tú?'

'Is é, is é, a Aoife, tabhair bomaite domh, le do thoil.'

'Cinnte, a chaptaein. Tá an bomaite istigh, a chaptaein.'

'Go maith, a Aoife. Ní shílim gur chóir iad a mhúscailt. Cad é an mhaith a dhéanfadh sé—?'

'Níl a fhios agam, a chaptaein.'

'Ní ceist a bhí ann, a Aoife.'

'Ní thuigim, a chaptaein. Ach creidim go bhfuil an ceart agat, ní fiú iad a mhúscailt anois. Nuair a cuireadh ina gcodladh iad bhí siad sona sásta agus ag súil lena dteaghlaigh a fheiceáil. B'fhearr iad a fhágáil mar sin de.'

'Cá fhad, a Aoife?'

'Cá fhad?'

'Cá fhad a bhfágfaidh muid mar sin iad?'

'Thig leo fanacht sna haonaid bheathaithe go cionn dhá bhliain eile.'

'An féidir dul ar ais go Siosafas 2, a Aoife?'

'Is féidir, a chaptaein, ach faoi lánluas beidh muid trí bliana ag dul ar ais agus ní bheidh go leor ocsaigine againn ach do dhá bhliain.'

'An féidir iontógáil na hocsaigine a laghdú píosa go mairfidh muid na trí bliana sin?'

'Ní féidir, a chaptaein. Dhéanfadh sé damáiste inchinne do chách, damáiste nach bhfuil intomhaiste agus atá róchontúirteach. Cinneadh seafóideach a bheadh ann, a chaptaein.'

'An bhfuil moladh ar bith agatsa, a Aoife?'

'Mairfidh beirt an turas ar ais go Siosafas 2, a chaptaein.'

'Ná cluinim a leithéid de mholadh. Beidh muid uilig ag dul ar ais nó ní bheidh aon duine ag dul ar ais.'

'Níor chóir cinneadh mar sin a dhéanamh gan do chulaith féinmhothaithe ort, a chaptaein.'

'Is cinneadh daonna é, a Aoife, níor mhaith liom tionchar na culaithe sin orm.'

'Ach, a chaptaein, tá prótacal agus rialúcháin ann le muid a threorú ar na ceisteanna seo.'

'Tá an cinneadh déanta, a Aoife. Rachaidh mise ar ais san aonad beathaithe anois; dhéanfaidh tusa an ráta ocsaigine a thomhais le go mairfidh muid uilig!'

'Ní bheidh go leor ann, a chaptaein.'

'Éist liom, a Aoife! Ní hann don chorparáid a thuilleadh, ná bac le rialacha na bprótacal. Ní thuigeann tú, a Aoife, is ríomhaire thú. Is mise amháin a dhéanfaidh na cinntí as seo amach.'

'Más sin d'ordú, a chaptaein.'

'Is é sin m'ordú, a Aoife.'

'An bhfuil tú cinnte gur cinneadh réasúnta é, a chaptaein, gan do chulaith ort?'

'Tá! Is fúmsa an cinneadh, a Aoife. Déan an rud a iarraim ort, anois láithreach!'

'Cinnte, a chaptaein. Ag toiseacht an phróisis bheathaithe, a chaptaein. Codladh sámh.'

'Tuairisc an Árthaigh Dagda, lá 1,831. An ríomhaire ionsuite, Aoife, ag tuairisciú:

Ag toiseacht an phróiseas eotanáise ar aonaid bheathaithe, a trí go dtí a sé, faoi Phrótacal X1-3, Treoir 1, Mír 2B; Cúram Sláinte Meabhraí na Foirne. I gcás éigeandáil mheabhairshláinte, beidh cead ag an Ríomhaire Ionsuite, cinntí a dhéanamh, thar amhras réasúnach, agus gach eolas tugtha san áireamh, nach bhfuil an captaen in ann a chuid dualgas a chomhlíonadh, a chinnteoidh inmharthanacht an árthaigh agus an líon is mó foirne. De réir m'áirimh féin, tá go leor ocsaigine ann do bheirt. Níl de rogha ann ach Gunnaí agus an captaen. Próiseas eotanáise críochnaithe; aonaid bheathaithe a trí go dtí a sé, eisteilgthe. Tuairisc críochnaithe.'

Fuil

Tuigim go maith gur ann do dhaoine nach gcreidfidh an scéal seo agus bíodh sin mar atá; ach táthar ann, agus go leor leor, a chreideann go domhain gur tharla na rudaí seo a chuirfear síos orthu anseo thíos.

Thiar sa tseansaol, tuairim agus trí chéad bliain ó shin a thoisigh an scéal seo i ndúiche bheag i lár na hEorpa. Am a bhí ann nuair nach raibh tíortha ná náisiúin ar bith ann mar a thuigeann muidne iad sa lá atá inniu ann, ach cathairstáit agus impireachtaí a chothaigh an córas feodachais leis na bochtáin a dhaoradh.

I ndúiche amháin acu sin, b'ann do lánúin fhuilteach; iarchaptaen in arm an impire agus a bhean chéile, a bhí ag baint fúthu i gcaisleán mór ar a dtugtar Caisleán na bhFáithe. Fuilteach a dúirt mé agus b'fhíor sin. An tríú glúin de thiarnaí talún ab ea iad agus gach glúin acu ní ba thurcánta ná an ceann roimhe agus gan trua ná trócaire ag dream ar bith acu d'aon neach beo ná marbh.

Ba le heagla agus le huafás a rialaigh siad an dúiche. Dream iad a chreid nach raibh sa chosmhuintir ach feithidí cáidheacha gan mhaith, gan fhiúntas, le marú faoina gcosa dá mba mhian leo é. Nósanna a bhí fairsing agus flúirseach sa tréimhse sin agus ar feadh fada go leor ina dhiaidh.

San am, ní raibh mórán d'acmhainn ag an chosmhuintir, ach a bheith de shíor ag obair don tiarna talún. Ní raibh acu ach an méid beag a d'fhás siad daofa féin ar thalamh an tiarna, i ndiaidh daofa a chuid féin a thabhairt don tiarna. Nuair a bhíodh drochaimsir nó tréimhse an ghannchair ann, áfach, ar nós gorta nó ampla, is ar an chosmhuintir amháin a bhíodh an t-ocras mór, nó bhíodh orthu bunús an bhia a thabhairt dá dtiarnaí agus dá saighdiúirí sula n-íosfadh siad féin aon ghreim.

Bhíodh seo ag tarlú go mion minic san am úd, ach b'ann do thréimhse nuair nach raibh curaíocht ar bith ag fás ná aon airgead á dhéanamh ag daoine bochta le cáin a íoc ná le bia a cheannacht, ná le híoc as síolta an earraigh fiú. Ba sna blianta seo a chaith an tiarna talún na bochtáin amach as a gcuid tithe agus a ruaigeadh ón talamh iad agus a fágadh gan dídean iad, le bás a fháil ar thaobh an bhóthair.

Agus cé gur ann do ghortaí go minic sa tréimhse sin, ní raibh gorta i gcuimhne na ndaoine cosúil leis an ghorta seo agus ba mhó an ganntanas bídh ná ariamh, go dtí nach raibh stioc le hithe ar fud na dúiche. Ainmhithe ar bith a bhí fágtha, ba iad an lánúin agus a saighdiúirí amháin a bhí dá n-ithe. Maraíodh láithreach aon duine sa phobal ar beireadh orthu ag póitseáil, go dtí sa deireadh nach raibh oiread agus aon ainmhí amháin fágtha. Ba ag an am seo a thoisigh arm an tiarna ag fianscaradh na ndaoine bochta.

Níor thuig na daoine cad chuige a ndéanfadh an tiarna iad a thabhairt le chéile mar seo nó bhí siad chóir a bheith marbh cheana féin. Ach chothaigh an lánúin iad le fíorbheagán de bhrachán lom, na páistí ach go háirithe agus dhéanadh na daoine sin aon obair thart fán chaisleán a bhí le déanamh. De réir a chéile, rinne siad na daoine óga a scaradh ó na daoine fásta, agus níorbh fhada gur tugadh faoi deara go mbíodh na daoine óga sin ag éirí gann. Dúirt an tiarna gur de thinneas a cailleadh iad.

Agus cé gur cailleadh daoine fásta le hocras agus ró-obair chomh maith, ba iad na páistí óga a ba mhó a bhí ag dul chun fánaí. Bhíodh ráflaí ag dul thart anois go raibh an lánúin dá n-ithe, agus níos measa ná sin, chualathas i gcogar go mbíodh an lánúin ag ól fhuil na bpáistí mar a bheadh uisce ann. Mhair na scéalta seo tamall fada agus daoine óga ag imeacht as go rialta agus saighdiúirí na lánúine ag scagadh na dúiche ag tabhairt páistí úra isteach.

Fiú agus aimsir an ghorta thart bhí na cleachtais sin ag dul ar aghaidh go fóill; páistí ag dul ar ceal ar fud na comharsan. Agus cé go dtearn na daoine a bhí fágtha iarracht éalú, níor ligeadh daofa agus mharaíodh na saighdiúirí cuid mhaith dar sheas an fód.

Ach nárbh íorónta an scéal é go raibh mac óg ag an lánúin fhuilteach darbh ainm Tóla a bhí dá chothú acu le fuil na n-óg ó rugadh é. Gasúr óg é Tóla a bhí tuairim is naoi mbliana d'aois faoin am seo. Bhí folt tiubh fionn agus aghaidh bheag chruinn ar an ghasúr bheag chroíúil agus é i gcónaí gléasta go galánta; rud a chuir cantal ar mhuintir uilig na háite.

Ó rugadh é, bhí Tóla faoi chúram mná óige darbh ainm Gobnait, agus in ainneoin uafás a thuismitheoirí, bhí gean ag Gobnait don leanbh nó d'aithin sí go luath nach raibh an t-uafás céanna sa ghasúr seo. Bhí sé de dhualgas uirthi oideachas a chur air agus an léamh a theagasc dó agus ba léir di gur scoláire den scoth é Tóla.

Ní raibh aon chosúlacht idir Tóla agus a thuismitheoirí, ba chuma cá mhéad fola a d'óladh sé, agus cé nach raibh seisean ag aosú ach go fíorfhadálach, níor leabaíodh tréithe a thuismitheoirí sa ghasúr óg seo. Ba í Gobnait ba chúis leis seo, nó rinne sise a seacht ndícheall an leanbh a chosaint ó uafaireacht na dtuismitheoirí. D'aithin sí a ghrámhaire a bhí Tóla agus ba ríshoiléir gur chóngaraí do Ghobnait é ná dá thuismitheoirí, cé nach bhfaca an pobal eile na tréithe seo, nó ní fhaca siadsan ach a raimhre agus a shaibhre a bhí an gasúr.

Ba scáfara ná sin nuair a d'aithin an pobal nach raibh an lánúin ag aosú níos mó; bhí an chuma orthu fiú gur in óige a bhí siad ag dul le gach bolgam a d'ól siad. Ná síl nár thug an lánúin féin seo faoi deara, thug go cinnte agus chuaigh a neamhthrócaire in olcas dá réir.

Ach ar ndóigh, b'olc iarmhairtí na ngníomhaíochtaí fuilteacha dúnmharfacha sin, nó chuaigh an t-ól fola sa cheann acu. B'fhíochmhaire agus ba mharfaí agus ba chruálaí iad. Ba chuma leo sa deireadh cé a chonaic iad ag dul dá ngníomhartha nó mharaítí iad cá bith. De réir a chéile, líon siad croíthe a gcuid saighdiúirí féin le scéin.

Dúirt mé go raibh a gcuid saighdiúirí ag cur amhrais sa dá thiarna anois, nó chreid siad sa deireadh go dtiocfadh an lá go marófaí iad féin, nó, níos measa ná sin, go marófaí a gcuid páistí, agus rinne captaen dá gcuid cinneadh an tiarna agus a theaghlach a mharú, rud a d'aontaigh na saighdiúirí eile leis gan dua.

Cúpla lá ina dhiaidh sin agus na tiarnaí ina gcodladh,

rinne na gardaí ionsaí orthu. Troid fhíochmhar a bhí ann agus mharaigh an bheirt agus a ngardaí dílse deichniúr saighdiúirí sular cloíodh iad. Ach sa deireadh thiar, chuir na saighdiúirí gach uile dhuine acu chun báis.

Chuardaigh na saighdiúirí na fiche hairde ar lorg an pháiste ach ní raibh iomrá ar bith air. Bhí a fhios acu go raibh áiteanna folaithe idir na ballaí sa chaisleán, mar sin shocraigh siad an áit a chur trí thine. Bhí siad cinnte go maródh sin mac na beirte. Dódh an caisleán go talamh i ndiaidh daofa gach dá raibh ann a ghoid agus bhí na daoine uilig cinnte de nach raibh aon neach beo san áit ní ba mhó.

D'éalaigh Gobnait as an chaisleán, amach bealach rúnda faoin chaisleán a tháinig amach sa choill. Bhí an gasúr beag óg i bhfolach léi faoina clóca, greim daingean aige uirthi agus é slán sábháilte. Bhí cuid mhór d'ór an tí i bhfolach léi chomh maith.

Thug sí léi 'na bhaile é, ach thuig sí féin agus a tuismitheoirí nach dtiocfadh léi é a choinneáil ansin, nó d'aithneodh daoine an páiste seo aici. Cúpla lá ina dhiaidh sin, d'fhág sí a baile féin faoi choim na hoíche agus thug sí féin agus Tóla aghaidh ar bhaile beag i bhfad ón áit ar tógadh í. Bhí áit de dhíth ina mbeadh an buachaill óg slán ó chontúirt na haithne, áit a bhféadfadh sé maireachtáil agus gnáthshaol de chineál éigin a chaitheamh.

Ar ndóigh, ní raibh gnáthshaol ariamh ag Tóla, agus ba chinnte nach mbeadh ach an oiread, agus bhí a shliocht air. Níor aosaigh Tóla mórán ar chor ar bith ina dhiaidh sin agus ní raibh goile aige d'aon rud ach d'fhuil, agus fuil dhaonna amháin aige sin. Chaithfeadh sé aon bhia eile amach agus b'iomaí uair a bhí sé ag comhrá leis an bhás de dheasca an díth fola seo. Agus cé go raibh eagla a craicinn ar Ghobnait a cuid fola féin a thabhairt dó agus drogall ar Thóla í a ghlacadh, thugadh sí dó í ó am go ham, rud a choinnigh an gasúr beag beo.

De réir a chéile, thabharfadh daoine faoi deara nár aosaigh Tóla agus bheadh orthu bogadh ar aghaidh go dtí an chéad bhaile eile. 'Cad chuige a bhfuil muid ag bogadh?' a d'fhiafródh Tóla di. 'Tá cogar agus ráflaí ag dul thart anois. Tá amhras agus eagla orthu. Ní mór dúinn imeacht láithreach, a stór. Táthar contúirteach nuair atá eagla orthu!'

Ní thiocfadh leo ach trí nó ceithre bliana a chaitheamh in aon áit amháin sula dtoiseodh na ráflaí gangaideacha ag dul thart. Chuaigh fiche bliain isteach mar seo agus cúig bhaile éagsúla feicthe acu. Bhí Gobnait ag dul anonn in aois agus ag éirí fannlag chomh maith agus d'aithin Tóla féin go raibh ainiarsmaí gach bogadaí ag dul i bhfeidhm uirthi go holc. Thuig sé go mbeadh air rud éigin a dhéanamh faoi sin, luath nó mall. Shíl sé go gcaillfeadh sé í dá gcoinneodh siad ag dul ar aghaidh mar a bhí agus ní ligfeadh dá chroí aon dochar a theacht ar Ghobnait.

San am sin, bhí siad ag baint fúthu ar ghaobhair an bhaile bhig seo agus an choill mhór gar go leor daofa. Rinne Tóla an cinneadh go gcónódh sé féin i lár na coille móire sin, agus go bhfanfadh Gobnait sa bhaile bheag. 'Luíonn sé le ciall, a mháithrín bheag. Caithfidh muid fanacht in aon áit amháin agus is é seo an t-aon bhealach leis sin a dhéanamh.'

Agus cé go raibh Gobnait an-amhrasach faoin chinneadh, thuig sí nach dtiocfadh léi mairstean mórán ní b'fhaide mar a bhí, agus threisigh Tóla an argóint. 'Rachadh ar an lón atá againn, dá mbeadh orainn bogadh ó áit go háit i gcónaí.'

Sa deireadh thiar, ghlac Gobnait leis sin.

Shuaimhnigh Tóla arís í. 'Beidh mé an-chúramach i gcónaí, geallaim duit, agus is maith atá a fhios againn nach dtiocfaidh duine ar bith go lár na coille. Is coill bhreá dhlúth í agus í ollmhór agus ní bhíonn mórán daoine ag dul isteach inti.'

Thuig sé go raibh ainmhithe allta sa choill sin ar ndóigh, ar nós an fhaolchú agus an toirc agus cinn eile nach iad, ach níor luaigh sé iad sin. Bhí go leor eagla ar Ghobnait mar a bhí, agus air féin, déanta na fírinne, ach ba chuma, a fhad is go raibh Gobnait féin slán agus ar a suaimhneas.

Bhí siad lá iomlán tuirsiúil i measc na gcrann, ag clasú fríd an choill, go raibh buile fá thuairim ag Tóla gur shroich siad lár na coille. Bhí tua agus sábh an-mhaith ag Tóla le cuidiú leis ar an turas agus le háit chónaithe a ghearradh amach dó féin thuas i gcrann.

Ba léir dó gur luigh an turas go trom ar Ghobnait. Cuireadh síos tine mhór gach oíche dá raibh Gobnait ann, le cinntiú nach dtiocfadh ainmhí ar bith chucu le linn na hoíche. Le bánú an lae ar an tríú lá, thug Tóla ar Ghobnait imeacht ar ais chun an bhaile. D'imigh sé féin léi agus d'fhág sé í ar imeall na coille mar a dtáinig siad isteach.

'Buailfidh muid le chéile anseo gach mí—geallaim duit, a Ghobnait.'

'Beidh mise ag fanacht leat ar an lá seo i gcionn na míosa sin. Ná lig síos mé, a stór.'

Thug sí roinnt fola dó agus croí mór isteach agus d'imigh sí uaidh. Bhí deora lena súile agus í ag imeacht agus Tóla tromchroíoch go leor lena himeacht.

Níorbh é sin an chéad uair a fágadh Tóla leis féin. Ní raibh aon eagla air roimh an uaigneas, ná roimh an dorchadas, ní raibh ann ach gur chronaigh sé cuideachta Ghobnatan, an t-aon chuideachta mhaith agus an t-aon ghrá a bhí aige ó rugadh é. Ba iad na daoine fásta eile a scanraigh Tóla ariamh anall.

Bhí Tóla anois siar sna tríochaidí agus ba dhuine an-léannta é. Nuair a bhíodh sé i bhfolach, ní raibh mar chuideachta aige ach a chuid leabhar. Léadh sé gach leabhar dá raibh ar fáil aige san am. Bunús an ama, ní raibh de dhíth air ach solas na gealaí le léamh ach léadh sé faoi sholas coinnle chomh maith. Chuidigh na leabhair leis éalú ón chumha a bhí air gach uair a d'imigh Gobnait uaidh, cumha a mhairfeadh go bhfeicfeadh sé arís í. Thugadh sé ar Ghobnait roinnt leabhar a thabhairt ar ais léi nuair a bhuailfeadh sé léi agus thugadh sí seanleabhair ar ais léi le díol arís nuair a bhí siad léite. Choinneodh sé cuid de na leabhair i gcónaí mar leabhair thagartha. Shocraigh Tóla áit bheag thirim i seanchrann ina raibh poll mór lena gcoinneáil slán.

Rud eile a rinne sé ná áit shócúlach a dhéanamh dó féin sa chrann, áit a bhfanadh sé san oíche. D'oibríodh sé an lá ar fad go dtí go raibh áit bheag néata agus shóúil aige sa chrann. Bhí sruthán thart ar mhíle ar shiúl, áit a dtiocfadh leis é féin agus a chuid éadaigh a ní. Níor mhothaigh sé fuacht na hoíche mórán ach níor thaitin an fhearthainn leis ar chor ar bith. Mar sin de, chinntigh sé go raibh an áit bheag seo díonmhar agus fairsing go leor le go dtiocfadh leis a leabhair a léamh go sómasach.

Nuair nach mbíodh sé ag léamh, chaitheadh sé mórán dá chuid ama ag coimhéad an fhiadhúlra. Timthriall na n-ainmhithe uilig; na héanacha, na creimirí uilig, idir luchóga beaga agus móra agus na feithidí féin fiú. Ach níos mó ná sin uilig, choimhéad sé an faolchú agus an torc allta, an dá ainmhí ba chontúirtí sa choill, go háirithe agus coileáin agus toirc óga acu. Eolas é seo, a choinníodh slán é.

Gach mí ina dhiaidh sin, bhuailfeadh sé le Gobnait, agus mar a gheall sí, bheadh leabhair léi, leabhair a bhain le saol na coille ach go háirithe.

Lá amháin, tháinig sí agus cailín óg ina cuideachta léi. 'Seo í Bláithín, iníon mo dhearthár is óige. Cuireadh chugam í le cuidiú liom. Beidh sí ag cuidiú liom tú a chothú as seo amach.'

Ba léir do Thóla gur aithin a teaghlach féin fiú go raibh Gobnait ag dul i léig, rud a thuar nach mairfeadh sí mórán níos faide, agus mhothaigh Tóla sin ina chroí.

Ní raibh Bláithín ach ceithre bliana déag d'aois agus í an-chiúin ar fad ach bhí sé an-bhuíoch go mbeadh duine ag Gobnait nuair nach dtiocfadh leis féin a bheith léi sa bhaile. Cailín óg socránta ab ea í. Bhí sí rud beag tanaí agus gruaig fhada dhubh uirthi; cosúil le Gobnait. Thagadh sí le Gobnait gach uile uair ina dhiaidh sin ach, de réir a chéile, ba léir go raibh Bláithín ag déanamh mórchuid den obair. Nuair a bhíodh sí ann, theagascadh Tóla an léamh di agus rud ar bith eile a bheadh de dhíth uirthi.

Nuair nach mbíodh sé ag léamh, chaitheadh sé a chuid ama ag staidéar dhúlra agus shaolré na coille: na feithidí, na daoil, na míolta agus na damháin alla. Bhreathnaigh sé na hainmhithe uilig ar an talamh agus na héanacha sna géaga agus san aer. Theagasc siad dó go raibh gach uile rud sa choill ag brath ar a chéile le maireachtáil. D'eagnaigh sé féin de réir a chéile go raibh seisean go díreach cosúil leo, go raibh sé féin ag brath go hiomlán ar Ghobnait, ar Bhláithín agus ar an choill le maireachtáil chomh maith.

Chuaigh ceithre bliana thart sula dtáinig Bláithín le

bualadh le Tóla léi féin. Bhí scéal an uafáis le feiceáil ar a haghaidh agus mhínigh sí dó go raibh Gobnait an-tinn agus ar leaba an bháis. Ní raibh sólás i ndán do Thóla. Bhí sé iomlán croíbhriste agus chinn sé go rachadh sé chuici láithreach. Bhí sé go díreach in am agus ba é a bhí sásta go raibh deis aige slán a fhágáil aici.

'Ó, a mháithrín mhilis, a ghrá mo chroí, ná himigh uaim anois. Ní bheadh ann domh ach ab é thú. Ní aithneoinn an grá ach ab é thú. Cad é atá le déanamh mura bhfuil tusa agam le mo threorú, a mháithrín ó?'

Rug Gobnait ar a lámh agus labhair sí go lag tuirseach.

'Tabhair aire do Bhláithín anois, a mhaicín, agus bhéarfaidh sise aire mhaith duit. Agus gach oíche, nuair a tchífeas tú an ghealach ag soilsiú sa spéir, mise a bheas ann, ag amharc anuas ortsa, a stór.'

Bhris an gol orthu agus ar Bhláithín agus rug Tóla barróg mhór ghrámhar ar Ghobnait.

Fuair Gobnait bás an oíche sin agus Tóla ag a taobh. D'fhan sé trí lá léi gur cuireadh í sa talamh. D'imigh sé arís isteach sa choill. Bhí an lionn dubh os cionn chroí Thóla ar feadh i bhfad ina dhiaidh sin. Níor léigh sé leabhar, níor bhreathnaigh sé an tsaolré agus níor ól sé mórán fola ach an oiread. Chuaigh leathbhliain thart sula raibh faill ag Bláithín an cian uafásach a thógáil dó agus tabhairt air fuil dá cuid a ól. Bhí Tóla an-lag faoin am sin.

Chuir sé seo tús leis an chleachtas go dtiocfadh duine de mhuintir Ghobnatan le Tóla a chothú agus a bheathú. Cúpla bliain ina dhiaidh sin, phós Bláithín agus de réir a chéile, bhí páistí aici féin agus thagadh siadsan chuige, agus na glúnta eile ina dhiaidh sin mar an gcéanna.

Níor scéal aontaobhach é an scéal seo, nó fuair gaolta Ghobnatan cuid mhór ó Thóla chomh maith. Thógaidís leabhair leo i gcónaí. Bhí Tóla chomh léannta le duine ar bith ar domhan anois. Roinneadh sé a chuid eolais go fial le muintir Ghobnatan, rud a chuidigh go mór leo in aimsir an anáis. Theagascadh sé gach rud daofa; an dóigh le bia a shaothrú agus leigheasanna a dhéanamh as luibheanna na coille. Agus theagascadh sé an léamh agus an scríobh don aos óg, rud a chuidíodh leo obair ní b'fhearr a fháil.

Chuaigh blianta thart agus d'éirigh muintir Ghobnatan iontach clúiteach agus breá saibhir sa bhaile sin, go dtí go dtáinig an lá gur toghadh duine acu ina mhéara ar an bhaile. Ach bhí amhras ann i dtólamh, agus ráflaí ag dul thart ar an phobal go raibh an teaghlach i gcomhcheilg leis an Diabhal.

Nuair a thoisigh cogadh sa chuid sin den domhan, an tsaint ba chúis leis. Teaghlach den uasaicme a bhí in éad le muintir Ghobnatan agus a fheabhas a bhí a saolsan. D'úsáid siad na ráflaí, an dlí agus a gcairdeas leis an Rí, le baint faoi stádas agus faoi sheasamh an teaghlaigh sa dúiche sin. Rinne siad ionsaí ar a gcuid tithe agus maraíodh go leor in aon lá amháin. Ní raibh an teaghlach réidh ná in inmhe troid a chur ar arm na n-uaisle. Cuireadh gach rud as riocht san aimsir sin. Cailleadh mórán den phobal a thacaigh le muintir Ghobnatan agus scaipeadh iad ar fud na dúiche agus níos faide ar shiúl. D'éirigh le clann amháin a theacht isteach go lár na coille agus chuaigh i bhfolach ansin le Tóla.

D'fhan siadsan le Tóla ar feadh roinnt blianta agus chothaigh siad a chéile ina dhiaidh sin amach. De réir a chéile cailleadh cuid acu le himeacht nó le bás. Go dtí sa deireadh nach raibh fágtha ach an t-aon duine amháin acu a d'fhan le Tóla ar feadh a shaoil gur éag seisean féin.

Bhí Tóla leis féin anois agus mhothaigh sé go mór cailleadh na cuideachta a bhíodh aige. Cuideachta a choinnigh Gobnait ina chuimhne i gcónaí. Shólásaigh sé é féin leis na leabhair ach, bhí a fhios aige nach dtiocfadh leis maireachtáil gan fuil an duine.

Thuig sé go mbeadh air fuil a aimsiú bealach amháin nó eile. B'éigean dó plean éigin a cheapadh leis sin a dhéanamh, agus gan amhras ar bith a thógáil fá dtaobh de féin agus faoin áit a raibh sé i bhfolach. Nó, ba mhó an tubaiste é dá bhfaigheadh daoine amach gurbh ann dó, cá raibh sé i bhfolach agus cad chuige.

Bhí go leor fola ag Tóla a mhairfeadh mí nó dhó, dá mbeadh sé cúramach léi. Thuig sé go maith go mbeadh air socrú eile a dhéanamh, bealach éigin eile a aimsiú nach mbeadh ag brath ar dhuine ar bith ach air féin. Bhí plean aige. Bhí a fhios aige go raibh bearbóir ar an bhaile ba chóngaraí dó a chleacht fleibeatómacht; ag tarraingt fola as othair lena leigheas. Agus b'eol dó gurbh é an bearbóir a rinne an cineál sin oibre.

Bheadh air fáil amach cad é a rinne an bearbóir leis an fhuil sin. Bhí a fhios aige gur chreid dochtúirí na ré sin gurbh í an fhuil ba chúis le gach galar, agus go mbíodh an galar sin ag sruthú fríd an fhuil a bhaintí ó aon othar a bhí tinn. Ar ndóighe, cailleadh bunús na n-othar ar aon chor, ach ba chuma le Tóla ach gur chreid siad é, nó d'aithin seisean láithreach go mbeadh deis aige a gcuid fola a fháil dó féin.

Bheadh an fhuil á coinneáil tamall ag an bhearbóir sula gcaithfí amach í agus dá dtiocfadh le Tóla súil a choinneáil ar nósanna an bhearbóra, amhail duine gan aird, go ciúin agus go gasta, bheadh lón dochaite beatha aige.

Ghlacfadh sé cúig uair an chloig air dul chun an bhaile, fríd an choill agus siar an bóthar, agus dar leis go mbeadh sé níos sábháilte dá mbainfeadh sé an baile amach le titim na hoíche. Ní thabharfadh daoine faoi deara é ag sleamhnú isteach go lár an bhaile agus ag aimsiú áite ag cúl theach an Bhearbóra.

Bhain sé an baile amach i dtrátha a deich a chlog san oíche agus é dubh dorcha, gan mórán daoine le feiceáil fán bhaile. Bhí Tóla an-chiúin, ag déanamh cinnte nach dtógfadh sé aon aird. Ní raibh deacracht ar bith aige a theacht ar an bhearbóir, nó bhí an seanchomhartha bán agus dearg crochta ar bhalla an tsiopa, comhartha a léirigh gur tharraing sé fuil ar son an dochtúra.

Chuaigh sé go cúl an tí agus, cé go raibh Tóla beag, bhí sé an-lúfar agus an-láidir i ndiaidh blianta ag dreapadh crann sa choill. Dhreap sé balla cúil an tsiopa gan stró. Níor chuir an dorchadas isteach air ach oiread nó bhí sé róchleachta le dorchadas na coille agus radharc na súl an-mhaith aige. Bheadh éacht na hoíche sin i bhfad ní b'fhusa ná a shíl sé, nó ansin, ag cúl an tí, bhí trí bhuidéal mhóra cré lán d'fhuil ina luí ag fanacht leis an fhear a thiocfadh lena dtabhairt ar shiúl. D'ól Tóla a sháith fola. Líon sé mála leathair a bhí leis agus thug leis go leor eile a mhairfeadh mí nó dhó ina dhiaidh sin.

Rud amháin a d'fhoghlaim Tóla faoi chúrsaí fola le blianta beaga anuas, go rachadh sí ó mhaith go gasta mura gcoinneofaí fuar í. Ní raibh sé róbhuartha i rith an gheimhridh ach sa tsamhradh bhíodh fadhb mhór aige an fhuil a stóráil agus a choinneáil fuar. Léigh sé fadó faoin dóigh le teach oighir a dhéanamh; sean-nós a chleachtaí ó bhí an chlochaois ann.

Bhaileodh sé oighear sa gheimhreadh agus choinneodh sé é i gcró folaigh a rinne sé féin blianta roimhe sin. Poll domhain sa talamh líneáilte le cochán agus líonta le hoighear. Dá mbeadh an poll domhain go leor choinneodh sé an t-oighear ar feadh an tsamhraidh agus an fhuil chomh maith. Is iomaí rud a léigh Tóla, ach ba é an t-eolas seo a bheathaigh é ar feadh na mblianta ina dhiaidh sin.

Bhí go leor aige anois lena choinneáil ar feadh cúpla mí, ach thuig sé go maith go mbeadh air bealach éigin eile a aimsiú lena chuid fola a fháil gan dul isteach go dtí an baile arís agus arís eile. Bhí smaointiú aige. Bhí a fhios aige go mbeadh ar an bhearbóir réitigh a fháil den fhuil agus go gcaithfeadh sé go dtiocfadh fear éigin chuige leis an fhuil a chur de lámh. Dá dtiocfadh leis a theacht ar an fhear sin agus socrú a dhéanamh leis, ní bheadh air féin dul sa tseans agus néaladóireacht a dhéanamh ar an bhaile sin ní ba mhó. Bhí go leor óir bailithe aige le blianta beaga anuas, airgead a bailíodh nuair a bhí muintir Ghobnatan ag déanamh go maith, agus bhí a fhios aige go dtiocfadh leis margadh maith a dhéanamh le diúscaire na fola.

Bhí air dul ar ais go dtí an sráidbhaile agus fanacht i bhfolach ann ar feadh cúpla oíche, go dtí go dtáinig an diúscaire leis an fhuil a thabhairt ar shiúl. Lean sé an duine go dtí a theach féin, nach raibh rófhada ó fhorimeall na coille. D'fhan sé ansin istigh sa choill á choimhéad ar feadh an lae, ag iarraidh oibriú amach cad é an cineál duine é agus cad é a dhéanfadh sé leis an fhuil.

An lá dár gcionn, chonaic sé an diúscaire ag teacht amach agus a charrán beag luchtaithe le trí bhuidéal mhóra fola. D'aithin sé crot na mbuidéal, cé go raibh siad clúdaithe le héadach lín. Lean Tóla carrán an fhir seo ar bhóithrín na coille go dtáinig sé go dtí abhainn bheag a bhí ar sileadh le hais an bhóthair. Léim sé den charrán agus cheangail sé an t-asal a bhí á tharraingt. Thóg sé na buidéil anuas den charrán agus fágadh iad ar bhruach na habhann.

Thuig Tóla láithreach cad é a bhí ar bun ag an fhear seo, bhí sé leis an fhuil a dhoirteadh san uisce. Shiúil Tóla amach ón áit a raibh sé i bhfolach. D'fhiafraigh sé den diúscaire cad é a dhéanfadh sé leis an fhuil. Baineadh siar as an diúscaire agus ba léir an fhearg ina chuid súl nuair a chonaic sé Tóla ansin. Ní hamháin go raibh sé de dhánacht aige an cheist sin a chur air, ach bhain sé geit as san am chéanna. D'fhreagair sé an cheist le ceist eile agus bagairt ina ghlór. 'Cé thusa agus cá as a dtáinig tú?'

Rinne Tóla an cheist a chuir arís ach nuair a d'fhreagair an diúscaire an t-am seo bhí róbhagairt sa fhreagra agus é ag rá trína fhiacla, 'Déan thusa do ghnó féin agus imigh leat nó beidh daor ort.'

Lean Tóla leis. 'Má chuireann tú an fhuil sin san uisce, truailleoidh sé uisce an phobail thíos agus seans maith gur sin a thug galar ar roinnt daoine cheana. Is eol domh féin sruthán beag eile a théann faoin talamh agus ní thig sé amach arís go sroicheann sé an fharraige.'

Thóg an ráiteas seo suim an diúscaire, nó, b'eagal leis go bhfaigheadh daoine amach gurbh eisean ba chúis leis an tinneas. 'Abair liom cá háit a bhfuil an sruthán beag seo?'

Mhínigh Tóla go raibh sé ní b'fhaide istigh sa choill agus ar chluinstin seo don diúscaire, d'éirigh sé amhrasach. 'Thógfadh sé barraíocht trioblóide orm sin a dhéanamh.'

'Ach,' arsa Tóla, 'dhéanfaidh mise é. Go díreach le bheith cinnte nach dtruailleofar uisce an phobail arís.'

Bhí an socrú déanta, d'inis an diúscaire dó go dtógfadh sé

na buidéil ar ais nuair a phillfeadh sé le hualach úr gach seachtain. D'imigh an diúscaire leis agus fágadh Tóla leis féin arís.

D'ól Tóla a sháith fola an lá sin, rud a chothódh é ar feadh míosa nó dhó. Thuig sé rud eile, nach dtiocfadh leis na buidéil sin uilig a iompar ar ais leis, fiú gur láidre é ná an gnáthdhuine. Bhí an choill measartha tiubh agus bhí an scrobarnach colgach agus deilgneach go maith, agus d'fhéadfadh sí thú a fheannadh, mura raibh fios an bhealaigh agat.

Ba é tibhe na coille a choinnigh slán é ó ghuais na ndaoine a bhí ag díothú na coille agus ag bagairt a bheatha féin go rialta. Bhí an choill ag laghdú bliain i ndiaidh bliana, a mheabhraigh sé le tréan bróin, agus d'aithin sé ina chroí istigh go dtiocfadh deireadh leis an choill lá éigin amach anseo.

Ach anois, bheadh ábhar stórála a dhíth air; bheadh earraí crua-chré uaidh. Bhí roinnt peillce déanta aige don obair seo, b'fhusa iad a iompar ar a ghuaillí. Ach ba chuma leis a chrua a bhí an obair sin, bhí fáil aige anois ar fhoinse fola reatha agus ba é a shocrú féin é. Ní bheadh sé ag brath ar dhuine ar bith eile, go ceann tamaillín eile ar scor ar bith.

Bhí go leor fola bailithe ag Tóla le maireachtáil fríd an gheimhreadh. Bhaileodh sé oighear ó na pollaidí a bhí thart air sa choill agus d'úsáid sé sneachta leis an chrua-chré a phacáil isteach go maith.

Lá amháin agus Tóla ag bailiú oighir don teach oighir, mhothaigh sé nach bhfaca sé mórán ainmhithe thart sa choill le tamall. Bhí sé anois i lár geimhreadh an-fhuar agus an-fhada agus ba léir dó an tsleaic ocrais a bheith ar chuid mhaith d'ainmhithe na coille. Bhí faitíos air go dtiocfadh cuid de na hainmhithe ar lorg na fola; na faolchúnna ach go háirithe. Níorbh fhada gur fíoraíodh tuar an oilc sin.

Oíche fhuar fheanntach gan ghealach, bhí Tóla in airde a chrainn nuair a chuala sé cnagarnach thíos faoi ar an tsneachta bhriosc. Bhí a fhios aige láithreach cad é a bhí ann, faolchú. Ba chuma go raibh Tóla breá láidir agus lúfar, bhí eagla a chraicinn air i gcónaí roimh an fhaolchú. Ba chuma leis cuid den fhuil a roinnt leis ach thuig sé go ndéanfadh an cú mór seo an teach oighir a scrios agus é ag tochailt sa talamh. Bhí Tóla réidh don chás seo.

Bhí poll eile tochailte aige, nach raibh rófhada ón áit a raibh an teach oighir. Ní raibh an poll ródhomhain agus bhí go leor fola ann leis an fhaolchú a shásamh. Chuala sé an tochailt á déanamh ag an fhaolchú. Ba léir go raibh cíocras air agus nuair a d'éirigh Tóla ar maidin chonaic sé an fudar fadar a bhí déanta, ach, go hádhúil, níor baineadh don teach oighir féin. Rinne Tóla an rud céanna arís an oíche ina dhiaidh ach ní tháinig an faolchú ar ais.

Ach ní buan aon rud gan athrú. Lá amháin agus Tóla faoi dhá mhíle óna áit chónaithe féin, chuala sé an-challán agus clampar sa choill. Chuaigh sé go cúramach le feiceáil cad é a bhí taobh thiar den challán sin uilig ach nuair a chonaic sé cúis an chlampair, baineadh geit as.

Daoine! Ní fhaca sé daoine chomh cóngarach seo dá áit chónaithe ariamh. Bhí siad ag réiteach na coille, ag glanadh na gcrann ar shiúl le baint fúthu ansin. Lucht taistil a bhí iontu, daoine a ghluaiseadh ó áit go háit. Chuir siad eagla ar Thóla. Bhí a fhios aige go dtiocfadh siad níos cóngaraí dá áit féin de réir a chéile. Mheas sé go mbeadh air rud éigin a dhéanamh le moill a chur orthu, nó iad a scanradh ar shiúl, ach cad é?

Bhí rud amháin ar eolas ag Tóla: thuig sé an eagla. Bhí a fhios aige cad é mar a chuaigh an eagla i bhfeidhm air féin agus as sin thuig sé cad é a scanródh daoine eile. B'aisteach an rud é, ach mhothaigh sé anois go raibh an dorchadas mar chara aige. Nuair a chéadsocraigh sé isteach i lár na coille, scanraigh gach fuaim é, ach de réir a chéile d'fhoghlaim sé cad a bhí ar chúl na bhfuaimeanna agus athraíodh an ghéarbhroid go soilíos. Faoin am seo, bhí Tóla ní ba shómasaí san oíche ná a bhí i rith an lae. D'fhoghlaim sé go dtiocfadh leis an dorchadas a úsáid leis na daoine a scanradh agus iad a choinneáil ar shiúl óna áit chónaithe féin. Bhí a fhios aige dá ndéanfadh sé callán scáfar san oíche nach dtiocfadh daoine isteach níos faide ná limistéar na gráige s'acu féin. Bhí bealaí aimsithe aige leis sin a dhéanamh. Agus ní bheadh air a bheith róchóngarach don áit bheag seo ach an oiread.

Léigh Tóla faoin fhear seo sa Ghearmáin, Athanasius Kircher, a chéadcheap an stoc fógartha, gaireas boise cónach a aimplíonn glór an duine agus a chaitheann an fhuaim sa treo a bhfuil sé dírithe. Ní raibh de dhíth air ach píosa adhmaid ar nós géige agus bheadh leis. Níorbh fhada gur aimsigh sé seanphíosa adhmaid a bhí oiriúnach. Chaith sé lá iomlán ag obair air nó bhí air lár na géige a shnoí amach le scian ghéar agus a mhíniú le cloch. Sa deireadh, d'éirigh leis dóigh éigin a chur ar an rud agus chinn sé ar é a thriail an oíche sin.

Bhí an mheán oíche ann nuair a chuaigh Tóla amach. Bhí fios an bhealaigh aige agus stop sé thart ar thrí cheathrú míle ón ghráig. Thoisigh sé ag scréachach agus ag déanamh callán uafásach fríd an stoc fógartha. Rinne sé fuaim chomh scáfar sin gur scanraigh sé é féin. Shílfeadh aon duine a chluinfeadh an callán gur an diabhal féin a bhí ann ag marú daoine agus á gcéasadh le tine ifrinn.

Rinne Tóla an rud céanna trí oíche i ndiaidh a chéile agus stop sé de. D'fhan sé, ag fanacht le toradh an éachta agus le seachtain nó dhó eile ní tháinig oiread agus aon duine amháin isteach sa choill san oíche agus d'fhan siad ar na bóithre i rith an lae.

Ach níor mhair an éigeandáil rófhada i measc na ndaoine sa ghráig. Bhí adhmad de dhíth orthu agus bia, agus bhí orthu teacht ar ais sa choill á lorg. Nuair a tháinig siad isteach anois, bhí na fir armtha le crosbhoghanna, ar eagla na heagla. Bhí siad iontach coimhéadach ar fad agus maraíodh préachán bocht amháin nach dtearn ach iarracht éalú ó na daoine a bhí ag teacht chuige, agus gortaíodh go holc fia-chollach a rith chucu lena mbagairt nuair a tháinig siad i dtreo a cuid torcán. Bhí an fia-chollach bocht trí lá ag fulaingt go pianmhar sula bhfuair sí bás.

Bhí a fhios ag Tóla go maith go raibh an locht air féin. Buille anacrach a bhí ann agus bhí sé anois tromchroíoch agus an-doilíosach dá réir agus gheall sé dó féin nach n-úsáidfeadh sé an stoc fógartha arís ina dhiaidh sin. Chaith sé chóir a bheith coicís ina dhiaidh sin ina chró beag sa chrann gan bhogadh, ag iarraidh go raibh duine de mhuintir Ghobnatan ann lena shuaimhniú.

Le linn an ama sin, rinne sé an-mhachnamh ar cad é ba chóir dó a dhéanamh amach anseo. Bhí a fhios aige nach dtiocfadh leis iad a scanradh níos mó, nó nuair a scanraíodh iad ba chontúirtí a d'éirigh siad. Ach cad é a dhéanfadh sé? Chinn sé go ndéanfadh sé ainiarsmaí a ghníomhaíochtaí féin a thomhas agus a réamh-mheas as sin amach.

Sa deireadh, chinn sé nach scanródh sé iad, ach go dtiocfadh sé ar bhealach le hiad a mhealladh chuig a dhearcadh féin, nó, ar a laghad tábhacht na coille a chur ina luí orthu. Ach chiallódh sin go mbeadh air féin teagmháil a dhéanamh leo. Obair mhór a bheadh ann agus ní éisteadh daoine fásta le duine óg, nó duine a bhfuil cuma óg air cá bith. Is chuig na páistí agus na daoine óga a rachadh sé, ach a theacht aníos le bealach leis sin a dhéanamh gan a bheatha féin a chur i gcontúirt.

Chaith sé seal fada ag coimhéad na gráige agus na bpáistí ach go háirithe. Bhí sé ag iarraidh ceannasaí na bpáistí a aithint. De réir a chéile, d'aimsigh sé buachaill óg amháin, buachaill thart ar dhá bhliain déag d'aois, ar léir gurb é an ceannasaí é. Bhí na comharthaí sóirt uilig ann. Ba é seo an buachaill óg a dteachaidh na páistí eile chuige nuair a bhíodh rudaí nó treoir de dhíth orthu; fiú cead a iarraidh rudaí éagsúla a dhéanamh. Bhí na tréithe ceannasaíochta sin le sonrú sa bhuachaill seo go soiléir. Bhí an-tionchar aige ar na páistí eile ach bhí rud eile aige, ceanúlacht do na páistí eile. Thaitin an buachaill óg seo go mór le Tóla. Shíl sé go dtiocfadh leis tionchar a oibriú ar an bhuachaill seo agus b'fhéidir níos mó, cairdeas; rud a chronaigh sé le tamall fada.

Tharla lá, go raibh Tóla tamall ag coimhéad buachaill óg agus thug sé faoi deara é ag dreapadh ar chrann sailí le hais na habhann. Ní raibh aon duine eile leis, rud nach mbíodh amhlaidh de ghnáth. Agus Tóla dá choimhéad, thit an buachaill óg isteach san abhainn agus ba léir do Thóla nach raibh snámh aige agus é ag iomlasc leis san uisce. Deis gan choinne a bhí ann cuidiú le duine acu. Léim sé amach as a pholl folaigh, rug greim ar ghéag crainn le lámh amháin, agus shín amach an lámh eile chuig an bhuachaill thruacánta seo.

Bhí an-scaoll ar an bhuachaill ach d'éirigh leis greim a fháil ar lámh Thóla, a tharraing ar ais go bruach na habhann é agus amach as an uisce ar fad. Bhí an buachaill an-bhuíoch agus náire air gur tharla a leithéid de rud dó. Agus nuair a fuair sé a anáil leis, ghabh sé a bhuíochas le Tóla agus tháinig smeachanna air le huafás na heachtra.

Shuaimhnigh Tóla an gasúr beag agus mhol sé dó tine a chur síos. Ghlac an gasúr leis an chomhairle agus den chéad uair tháinig fáthadh an gháire ar a bhéal. I ndiaidh uair an chloig, bhí na héadaí tirim go leor arís agus é réidh le himeacht agus, cé go dtearn siad comhrá beag le chéile ar feadh na huaire sin, níor iarr an buachaill a ainm ar Thóla.

Scar an bheirt agus chuaigh a mbealach féin. Bhain Tóla sult as an chomhrá leis an bhuachaill óg agus thug sé ar ais cuimhní nach raibh aige le fada. Bhí Tóla cinnte go dtiocfadh leis tógáil ar an chaidreamh anois, ach bhí a fhios aige go mbeadh air dul i bhfeidhm ar an bhuachaill eile go fóill.

Bhí sé tamaillín sula dtáinig deis eile aníos. Shíl sé gurbh fhearr dá dtiocfadh an buachaill eile seo i dtarrtháil airsean, go díreach mar a tharla leis an leaid óg. An tréith ba mhó a d'aithin Tóla sa ghasúr seo ná go raibh sé neamheaglach. Ach an mbeadh sé cróga nó cineálta go leor le theacht i dtarrtháil ar dhuine eile, strainséir fiú?

Choimhéad Tóla na daoine fásta ag cur gaistí, an leac ar tinneall, faoi imeall na coille le toirc nó ainmhithe uafásacha eile a mharú lena n-ithe agus le hiad féin a chosaint orthu chomh maith. Chuir Tóla figín leis na gaistí le bheith cinnte nach dtitfeadh aon leac anuas air féin.

Cloch mhór nó carraig a bheadh ann, claonta ar uillinn ón

talamh le go dtitfeadh sé ar an torc le scaoileadh an ghaiste. Níor oibrigh siad go rómhaith nó i ndiaidh do thorc amháin gaiste a scaoileadh, d'fhoghlaim na cinn eile gan dul an bealach sin ní ba mhó. Bhí a fhios ag muintir na gráige cá háit a raibh na gaistí seo uilig agus bhí siad ábalta iad a sheachaint, ach, ní bheadh an t-eolas sin ag coimhthíoch ar bith, dar leo.

D'fhan sé fada go leor le hoibriú amach cá háit a rachadh na páistí ag bailiú loiscneach, rud a rinne siad gach uile lá. Chuaigh siad sa treo chéanna gach uair ar feadh seachtaine agus bealach eile an tseachtain ina dhiaidh sin. D'fhan sé go dtí go raibh a fhios aige go dtiocfadh siad cóngarach do ghaiste sula gcuirfeadh sé a bheart féin i bhfeidhm.

Ar an lá seo, bhí na páistí amuigh ag bailiú loiscneach mar ba ghnách agus thoisigh Tóla ag siúl chucu. Bhí a fhios ag Tóla go mbíodh daoine ag teacht ón bhaile ó am go chéile le hábhair a dhíol agus a cheannach agus nach gcuirfeadh a theacht féin iontas ar bith ar na páistí. Bhí sé fada go leor uathu le go bhfeicfeadh siad é ag siúl i dtreo an ghaiste, ach fada go leor ar shiúl le deis a thabhairt do dhuine theacht le hé a shábháil. Agus fiú mura bhfeicfeadh siad an gaiste á scaoileadh, chluinfeadh siad Tóla ag screadach agus an chuma air gur thit an charraig mhór anuas air.

Bhí sé ullmhaithe don bheart, ní dhéanfadh sé aon dochar dó féin ach bheadh an chuma gur thit an charraig air. Shocraigh sé go scaoilfeadh sé an gaiste le maide sular shroich sé é ach go mbeadh an chuma air go raibh seisean thíos faoi. Thochail Tóla logán beag sa talamh san áit a dtitfeadh an charraig go gcuirfeadh sé a chosa siar faoin charraig.

Thug sé faoi deara go raibh duine amháin ar a laghad á choimhéad agus é ag siúl ina dtreo. Thoisigh an duine óg sin ag screadach agus ag croitheadh a lámh san aer. Thuig Tóla go raibh sé ag iarraidh rabhadh a thabhairt dó fanacht ar shiúl ón ghaiste. Go maith! Scaoil sé an gaiste agus faoin am ar shroich na daoine óga é, bhí an chuma air go raibh a chosa faoin charraig agus mura dtarraingeofaí amach go gasta é go bhfaigheadh sé bás, nó, ar a laghad, go mbeadh an-dochar déanta dá chosa.

Tháinig an ceannasaí chun tosaigh leis an mhéid a bhí ina chnámha agus na páistí eile ina dhiaidh. D'amharc sé ar Thóla bocht. Thug sé faoi deara go raibh Tóla sáinnithe faoin charraig. D'ordaigh an gasúr don chuid eile Tóla a tharraingt amach nuair a thógfadh seisean an charraig. Carraig mhór throm a bhí inti, ach thóg an gasúr í, go díreach go leor le faill a thabhairt don chuid eile Tóla a tharraingt saor. Níor ghlac sé ach cúpla soicind seo uilig a dhéanamh, ach mhothaigh siad uilig gur tamall fada a bhí ann. Sa deireadh, d'éirigh leo Tóla a shaoradh agus bhí sé slán sábháilte.

'Go raibh míle maith agat, a chara. Beidh mé faoi chomaoin agat go deo! Go raibh míle, míle maith agat. Shábháil tú mo bheatha.'

Níor dhúirt an ceannasaí óg a dhath ach bhí cuma shásta ar a aghaidh agus faoiseamh air go raibh Tóla slán sábháilte.

'Nach bhfaca tú na comharthaí sóirt ar na crainn?' arsa duine eile de na páistí.

'Comharthaí sóirt?' a d'fhreagair Tóla.

'Is cuma anois!' arsa an ceannasaí, 'a fhad is go bhfuil tú slán sábháilte.'

Bhí siad uilig ag fiafraí de Thóla cérbh é gur mhínigh sé daofa.

'Tá mé ag baint fúm i lár na coille ach ní tháinig mé an

bealach seo le cúpla bliain agus sin an fáth nár aithin mé na comharthaí.'

D'fhiafraigh sé ainm an cheannasaí de.

'Charon,' a dúirt sé go bródúil.

'An féidir liom luach saothair a thabhairt duit as mé a tharrtháil?'

Dhiúltaigh Charon aon rud a ghlacadh. 'Nár ghaistí s'againne a chuir do bheatha i gcontúirt ar an chéad dul síos!'

'Beidh orm imeacht anois,' a dúirt Tóla, 'ach beidh mé ar ais arís go moch maidin amárach; dá mbeifeá sásta mé a threorú thart ar na gaistí uilig bheinn an-bhuíoch duit?'

'Cinnte!' a gheall Charon dó. 'Buailfidh mé leat ag ceann thuaidh na gráige ag bánú an lae, go dtabharfaidh mé thart ar na gaistí thú.'

Thug Tóla buíochas ó chroí dó, chroith lámh leis, agus leis an chuid eile, agus d'imigh leis le héislinn bhacaí air.

Le héirí gréine lá arna mhárach, chas Charon le Tóla ag ceann thuaidh na gráige agus thaispeáin sé na gaistí uilig dó ar a mbealach thart ar imeall na gráige. Labhair Tóla leis gan stad, ag fiafraí gach eolas de faoina shaol anseo, faoina theaghlach agus faoin obair a dhéanadh siad. D'inis Charon dó gur lucht taistil a bhí iontu, nach raibh cead acu dul isteach sa bhaile agus gur sin an fáth ar lonnaigh siad sa choill.

'Tá muid fada go leor ón bhaile le nach mbeidh trioblóid againn leo, agus, tá bia agus breosla sa choill le muid a bheathú agus a chothú.'

D'inis Tóla do Charon go raibh cónaí air i lár na coille lena athair, ar fhear coille é, agus nach dtiocfadh sé an bealach sin go minic, ach anois agus aithne aige ar Charon agus na páistí eile, a shábháil a bheatha, go dtiocfadh sé an bealach ó am go ham le bualadh lena chairde úra.

Ag ceann na gráige, d'fhág siad slán ag a chéile agus shiúil Tóla ar aghaidh go raibh sé as radharc. Thiontaigh sé ansin gur ghlac sé bealach níos faide thart ar an ghráig, ag coimhéad amach nach bhfeicfeadh duine ar bith é ag dul siar air féin. Ba léir an tógáil croí a fuair Tóla as an chomhrá sin le Charon, nó, bhí aoibh ar a aghaidh nach raibh ann le blianta fada.

Bhí Tóla iontach cúramach nach mbuailfeadh sé leis na daoine óga seo dá mbeadh daoine fásta thart orthu. Ní raibh muinín aige as daoine fásta ariamh. Ba iadsan i gcónaí a thóg ceisteanna faoi agus a chuir ruaig air agus ba iadsan a mharaigh gaolta Ghobnatan. B'fhearr i bhfad iad a sheachaint, riail dhaingean ar chloígh sé léi, ó cailleadh clann Ghobnatan.

Chothaigh sé an caidreamh go maith, ag bualadh le Charon agus na páistí eile uair nó dhó gach mí. Thoisigh sé ag léamh scéalta daofa nuair ab fhéidir leis agus thaitin sé seo go mór leo nó ní raibh léamh ná scríobh ag duine ar bith acu féin.

'Teagascfaidh mé an léamh duit, a Charon, agus amach anseo, thiocfadh leatsa sin a theagasc do na páistí eile, dá mba mhaith leat.'

Nuair a bhí gnó eile aige déarfadh sé leo go raibh sé ar shiúl ag obair lena athair agus d'fhágfadh sé bearnaí idir na cuairteanna, le hamhras ar bith a sheachaint.

Chuaigh na míonna isteach agus bhí an geimhreadh ag druidim leo. Bhí ar na páistí ullmhú don drochaimsir. Bhailigh siad níos mó loiscnigh agus chuidigh Tóla leo, á dtarraingt ar shiúl óna bhaile beag féin. Ach, thug sé faoi deara go raibh ag dul ar an loiscneach agus go mbeadh orthu leathadh amach, agus thuig sé go dtiocfadh siad ina threo lá éigin.

Le linn an gheimhridh, ba iad na daoine fásta a tháinig amach le hobair a dhéanamh agus bheadh ar na daoine óga níos mó a dhéanamh fán ghráig féin. Bhí sé rófhuar anois agus bhí a fhios ag Tóla go raibh sé slán sábháilte sa tréimhse seo den bhliain. Chaith sé a chuid ama ag léamh agus ag bailiú a chuid fola ón diúscaire agus á cur i bhfolach sa teach oighir.

Chuaigh an geimhreadh isteach go maith an bhliain sin agus níorbh fhada go dtáinig ceann eile agus ceann eile arís. Faoin am seo, bhí caidreamh an-mhaith cothaithe idir Tóla agus páistí na gráige, Charon ach go háirithe. Theagasc sé dó an dóigh le léamh agus ba léir do Thóla gur ghasúr an-chliste é Charon. Labhraíodh sé leis faoi gach rud sa choill, na hainmhithe, na crainn agus dá n-imeodh gach rud le ró-úsáid, nach mairfeadh a phobal ná é féin.

'Nuair a tháinig mé chun na coille a chéaduair, ghlac sé trí lá dul ón imeall go dtí an lár. Anois, d'fhéadfá a dhéanamh i leathlá. De réir a chéile, ní bheadh coill ar bith fágtha ná áit ar bith le dul i bhfolach ann, daoibhse ná domhsa!'

De réir a chéile, d'éirigh dlúthchairdeas idir Tóla agus Charon, mar a bhí aige le Gobnait uair den tsaol. Chaitheadh Tóla uaireanta an chloig ag labhairt le Charon, a bhí sé bliana déag d'aois anois agus as a dheireadh, d'inis sé a scéal féin dó.

'Bhí a fhios agam nár ghnáthdhuine thú, a Thóla. Níor athraigh tú pioc ó bhuail mé leat ceithre bliana ó shin. Ach níor shíl mé ariamh gur sin an fáth nár athraigh tú! Ná bí thusa buartha, a Thóla, geallaim duit go gcoinneoidh mise agus an chuid eile an scéal seo faoi rún go deo. Agus rud eile, cuideoidh mise féin leat nuair is mian leat é.'

Bhí Tóla lá ag bailiú a chuid fola nuair a mhothaigh sé go raibh rud éigin as alt! Ní hé gur dhúirt an diúscaire rud ar bith leis; ní raibh iomrá ar bith airsean, ní raibh iomrá ar bith air ná ar aon bhuidéal fola, ach an oiread. Bhí cuma an amhrais agus na heagla ar Thóla. Bhí rud éigin contráilte. Thug Tóla aghaidh ar an bhaile le fiosrú cén fáth nach dtáinig an diúscaire nó na buidéil fola den dara huair as a chéile.

Nuair a bhain sé an baile amach, ba léir an scaoll a cuireadh sa phobal. Mhothaigh sé láithreach é. Bhí caoineadh ag teacht amach as tithe, bhí boladh an bháis gach áit fá dtaobh de. Chonaic sé an diúscaire agus a charrán beag ach anois bhí sé lán de chorpáin mharbha. Bhí gach doras druidte agus cros scríofa ar chuid acu. Bhí teach amháin ag bun an bhaile á chur trí thine gan aon duine ag tógáil racáin faoi.

D'aithin Tóla na comharthaí seo láithreach; léigh sé faoin phlá a bhí ag tarlú ar fud na hEorpa leis na cianta, ach le blianta fada anuas, d'éirigh leisean í a sheachaint, nó bhí sé scartha ón ghnáthphobal den chuid is mó. Den chéad uair ariamh, bhí eagla a bháis ar Thóla. Thuig sé iarmhairtí na plá seo chomh maith. Dá stróicfeadh sí fríd an phobal bheadh gach duine marbh, agus marbh go gasta. Níor léigh sé faoi dhaoine ag teacht slán ón phlá, a mhalairt ar fad a bhí fíor i gcónaí. Sin mar a bhí fadó agus ní raibh leigheas ar bith le fáil uirthi.

D'imigh sé leis ar ais i dtreo na gráige leis an mhéid a bhí ina chnámha. Thuig sé go mbeadh air rabhadh a thabhairt don phobal gan dul isteach go dtí an baile beag; ach ní ba thábhachtaí ná sin, gan ligean do mhuintir an bhaile a theacht amach chucu. Thuig sé go mbeadh ar an phobal gan teagmháil ar bith a bheith acu le pobal an bhaile.

Ar bhaint amach na gráige dó chuaigh sé ar lorg Charon le hinse dó cad é a bhí ag tarlú sa bhaile. Bhuail sé leis ar imeall na gráige agus cúpla páiste eile leis. D'iarr sé ar Charon suí gur labhair sé leis. Mhínigh sé dó cad é a chonaic sé sa bhaile bheag agus go mbeadh airsean scéal an uafáis seo a chur in iúl dá thuismitheoirí. Mhínigh sé dó gur phlá a bhí ann. Thuig Charon go hiomlán cad é a bhí á rá ag Tóla; chuala sé a thuismitheoirí ag labhairt ar an phlá agus a ghránna a bhí sí. D'inis Tóla dó faoin pholl mhór ag ceann an bhaile a bhí lán de chorpáin, go raibh teach trí thine agus an bás gach áit fán bhaile. Rinne sé soiléir é go raibh gach duine i mbaol a mbáis anois.

'Ní féidir le duine ar bith dul isteach sa bhaile agus níos tábhachtaí arís, ná tagadh duine ar bith ón bhaile isteach chugaibh.'

Shuigh Tóla lena aghaidh ina lámha. Bhí a fhios aige go gcaillfeadh sé gach duine a raibh grá aige daofa arís; don phlá nó don teitheadh uaithi. Bhí an-dáimh aige le Charon agus na páistí eile go léir, agus shíl sé go mairfeadh an caidreamh ar feadh a saolta, ach d'aithin sé chomh maith go gcaithfeadh sé ligean daofa teitheadh. Ar a laghad, bheadh seans ní b'fhearr go mairfeadh siad. Rinne sé cinneadh ansin gan fanacht thart le féachaint ar theitheadh a chairde, bhí a fhios aige ina chroí istigh nach bhfeicfeadh sé iad arís go deo, mar a tharla le gach duine a raibh grá aige daofa ariamh anall.

D'imigh Tóla ar ais go lár na coille, dhreap sé a chrann agus shuigh sé ar a ghéag choimhéadta, ag déanamh machnaimh ar a shaol fada go dtí seo agus cad é a thiocfadh dó. Bhí an dobrón anuas sa mhullach air. Chuimhnigh sé siar ar Ghobnait agus ar Bhláithín agus ar na daoine uilig a tháinig ina ndiaidh agus chronaigh sé gach duine acu. Bhí na deora ag titim go frasach anois. Thuig Tóla go maith go dtiocfadh deireadh lena thréimhse sa choill. D'aithin sé go dtáinig meath ar gach caidreamh a bhí aige go díreach mar a tháinig meath ar an choill.

Taobh istigh d'aon lá amháin, bhí teaghlaigh na gráige réidh le himeacht. Chuaigh Charon agus buachaill eile ar lorg Thóla le slán a fhágáil aige. Chuardaigh siad gach áit ach ní thiocfadh leo a theacht air nó ar a áit chónaithe. Phill siad beirt faoi ghruaim.

Cúpla lá ina dhiaidh sin chuaigh Tóla ar ais bealach na gráige. Ní raibh neach le feiceáil faoin ghráig. Shiúil sé fríd an áit den chéad uair, isteach agus amach as tithe gan mórán uilig fágtha istigh iontu. Istigh i dteach Charon bhí nóta greamaithe do bhalla an tí. Chonaic sé a ainm ar bharr an nóta. Bhain sé anuas é agus léigh.

A Thóla, a chara,
Is mó mo bhuaireamh nach raibh faill agam slán a fhágáil agat ná bheith ag teitheadh roimh an phlá seo. Chuaigh mé féin agus roinnt eile ar do lorg sa choill inniu ach níor éirigh linn a theacht ort. Níl a fhios agam an mbeidh mé ar ais an bealach seo arís ach ba bhreá liom a chur in iúl duit, a chara, nach ndéanfaidh mé dearmad ort go deo agus ar gach rud a d'inis tú domh, agus go háirithe nuair a scaoil tú scéal do bheatha liom. Tuigim go maith gur mé do chara iontaofa. Geallaim duit sula bhfaighidh mé bás go gcuirfidh mé an scéal sin ar phár agus go mbeidh eolas ort go deo na ndeor, ach ní scaoilfidh mé cá bhfuil tú go deo.

Go mairfidh tú slán, a chara liom.

Charon.

Bhí deora le súile Thóla agus é á léamh. Shiúil sé ar ais go háit bheag s'aige féin sa choill. Shuigh sé ar a ghéag féin sa chrann agus léigh sé dán de chuid Matsuo Basho, *Basho nowaki shite*, a chuir aoibh an gháire air. Chuimhnigh sé siar ar gach duine arís, Gobnait ach go háirithe. Bhí sé réidh anois. Ba léir dó nár mhaith leis dul ar aghaidh gan cuideachta ná gan grá ina shaol níos mó. Thuig sé anois nár chóir do dhuine mairstean chomh fada agus a mhair seisean. Chonaic sé barraíocht den olc, den díothú agus den bhás. Thuig sé gur thréig an cine daonna aon teagmháil a bhí acu leis an nádúr, le dul sa tóir ar an osnádúr agus ar an rachmas. Shuigh Tóla ansin ar feadh tamall fada gur thit an codladh air.

Chuaigh fiche bliain isteach sula dtáinig Charon ar ais go dtí an áit sin arís. Ní raibh mórán den choill fágtha. Chuala sé scéalta faoin duine bheag a bhí ina chónaí i lár na coille agus a shuigh sa chrann ar nós éin agus ar tugadh 'Fear Faire na Coille' air sna scéalta anois. Bhí iomrá ar fud na háite ar an duine aisteach seo, a chuid leabhar agus a theagmháil leis na hainmhithe. Chuaigh Charon isteach go dtí an áit a raibh lár na coille, go dtí an áit ar sheas an crann mór go fóill. Dúirt muintir an bhaile gur fágadh é mar sin in ómós don duine bheag sin. Shuigh Charon tamall ann ag machnamh ar Thóla agus tháinig na cuimhní cinn uilig ar ais agus bhris an gol air.

Chuaigh Charon ar ais chuig a bhaile féin ina dhiaidh sin agus scríobh sé scéal Thóla síos dúinn, agus sin an fáth a bhfuil an scéal againn go fóill.

An Choilíneacht

Is mise Hrdy. Is ainm é a thug mé orm féin nuair a tháinig ann domh. I bpobal seo an ghleanna, thig leat do rogha ainm a roghnú. Is múinteoir mé, ní gnáthmhúinteoir scoile, ach múinteoir saoil. Tá coinne agam le hEileas ar maidin, bean óg ocht mbliana déag d'aois. Bhí muid dá coimhéad ó rugadh í, le feiceáil cárbh iad na tréithe ba láidre inti.

'Maidin mhaith, a Eileas, cad é mar atá tú ar maidin?'

'Iontach tógtha, a Hrdy, ach caithfidh mé a admháil go bhfuil rud beag imní orm fosta.'

'Ná bíodh imní ort, a thaisce, beidh tú go breá.'

'Tuigim sin, ach is ról an mhúinteora é.'

'Cinnte. Is ról tábhachtach é, ach níl aon ról ná aon duine os cionn aon duine eile sa phobal seo. Tá achan ról tábhachtach.'

'Gabh mo leithscéal, a Hrdy. Is fada mé ag fanacht ar an lá seo, sin uilig.'

'Tuigim duit, a stór. Bhí mé féin an dóigh chéanna nuair a roghnaíodh mise le bheith i mo mhúinteoir, geall le fiche bliain ó shin.'

Éirím rud beag buartha achan uair a ghabhaim orm ábhar

eile múinteora a ullmhú. Ach, ní fiú é sin a nochtadh don bhean óg seo. Is ualach oibre í seo nach dtig le achan duine a iompar.

Is bean óg éirimiúil í Eileas. D'aithin muid sin ó bhí sí sa naíolann. Bhí sí grámhar agus comaoineach agus chonacthas tréithe ceannasaíochta inti go luath. Ach fágann an cúrsa seo a rian ort, agus is minic a threisítear an chlaontacht ionat a bharraíocht dá bharr. I ndiaidh na mblianta seo a caitheadh á hullmhú, bheadh an-díomá orm mura mbeadh Eileas in inmhe an t-ualach a iompar, nuair a chluinfeadh sí fírinne an róil.

'Siúlaimis agus labhraímis, a Eileas. Tá cuma shuaimhneach ar an spéir agus tá go leor le plé againn. Cuirimis tús maith leis an tsaol úr agat inniu.'

'Cad chuige ar roghnaíodh mise ar scor ar bith, a Hrdy?'

'Sin í an chéad cheist a chuir mé ar m'fhoroide féin, Kennard. Ar ndóighe, tá freagra na ceiste róchasta lena thabhairt in aon lá amháin. Ní hionann ábhar múinteora agus múinteoir déanta. Tá go leor le foghlaim agat roimhe sin, a Eileas.'

Tá cinnte. Tá cluthaireacht agus dúnárasacht ríthábhachtach le bheith i do mhúinteoir. Promhadh a cumas dúnárasachta nuair a bhí sí sa naíscoil agus ina dhiaidh sin amach. Thugadh a múinteoir rún di; mar a rinneadh le achan chailín eile. Níor rúin róthábhachtach iad ach amháin i saol an chailín féin. Rud inteacht ar nós: beidh muid ag gabháil go dtí na páirceanna beatha amárach. Bheadh a leithéid de thuras ina lá mór ag páiste ar bith. Tugadh uirthi gan an rún a scaoileadh, ach is nádúr an duine é rún a scaoileadh. D'éireodh an caidreamh ní ba dhlúithe idir a múinteoir agus aon chailín a choinneodh an rún, nó bhí siadsan anois ar thuras chun na múinteoireachta.

'An fáth ar roghnaíodh tusa, a Eileas, ná gur ábhar iontach múinteora thú. Tá an cumas ionat saol an phobail a chosaint agus a chaomhnú. Ach a chéaduair, caithfidh tú stair an phobail a fhoghlaim.'

'Ach d'fhoghlaim mé sin ar scoil—'

'D'fhoghlaim, ach tá stair an phobail ann ón uair a bunaíodh an pobal, agus tá stair an phobail roimhe sin ann.'

'Roimh an phobal?'

'Ar feadh do shaoil óig, a Eileas, tástáladh do chumas dúnárasachta, nó is é ról an mhúinteora é an t-eolas a fhoghlaim de ghlanmheabhair agus a chaomhnú, ach gan é a scaoileadh. Agus anois, nochtaim duit an t-eolas sin.'

Is cuimhin liom anois é, mar a bheadh inné ann, nuair a chéadchuala mé an fhírinne. Thuig mé achan rud; cúiseanna an phobail nár cheistigh mé ariamh—nó, níos measa—nár aithin mé ariamh. Bhí an t-uafás amuigh ansin go fóill, iarmhairtí an tsaoil a bhíodh ann go fóill dár mbagairt.

'A Eileas, suímis ar an talamh anseo. Tá sé deas ciúin.'

Ba é seo an áit cheannann chéanna ar shuigh mé féin agus Kennard, nuair a d'inis sise domh faoin stair roimh am an phobail. Nuair a bhí Eileas socair, thoisigh mé:

'Thoisigh an pobal seo 343 bliain ó shin, seo anois an séú glúin. Roimhe sin, bhí na daoine spréite amach ar fud an domhain.'

'Ach shíl mé nach raibh rud ar bith eile beo ar an domhan taobh amuigh den ghleann ina bhfuil muid?'

'Agus is fíor duit, ach roimhe sin bhí an chuid eile den domhan plódaithe le daoine, daoine go díreach cosúil linne.'

'Cad é a tharla daofa, cár imigh siad?'

'Tharla an t-uafás. Tharla díothú an domhain agus cailleadh

achan duine eile ar domhan, ní ann daofa níos mó.'

'Cá mhéad duine a bhí i gceist?'

'Thart ar ocht míle milliún duine.'

Tháinig athrach suntasach ar aghaidh Eileas, dreach iomlán neamhchreidmheach, agus ba léir gur ghoill sé go mór uirthi an ráiteas sin a chluinstin.

'Ocht míle milliún, ach cad é mar a tharla sé sin; cad é mar a cailleadh ocht míle milliún duine?'

Bhí cuma an chaointe uirthi. B'éigean domh í a shuaimhniú. Chuir mé mo lámha thart uirthi agus thug mé isteach chuig mo chroí í. Chaoin mé féin abhainn deor nuair a hinseadh é sin domh.

'Caoin leat, a thaisce, nó dá olcas an scéal sin uilig, is measa i bhfad é cúis an díothaithe féin.'

Shílfeá gur tharraing mé buille boise ar a haghaidh.

'Cad é ba chúis leis? Cad é an galar uafásach a thug bás achan duine?'

Nuair a thráigh an gol, thoisigh mé arís. Bhí mé rud beag drogallach, bhí sí chomh suaite sin.

'Níor ghalar é, a stór, ná aon rud nádúrtha, ach—an tsaint ba chúis leis.'

Bhí sí fríd a chéile.

'Ní thuigim?'

'Bhuel, a stór, le bheith cruinn beacht fá dtaobh de, saint na bhfear.'

'Saint na bhfear?'

'Is é. Nuair a tugadh tús áite don tsaibhreas thar an chine dhaonna féin.'

'Saibhreas?'

'Is é, a stór.'

D'aithin mé an mearbhall uirthi. Ní raibh tuigbheáil an tsaibhris ag daoine sa phobal; ní raibh ann don tsaibhreas shaolta a bhíodh ann roimhe. 'Suigh siar, a thaisce, agus inseoidh mé duit cad é mar a bhí an saol sula raibh ann don phobal.'

D'amharc sí orm agus ba léir an faitíos ina cuid súl. Bean óg ab ea í agus ualach an uafáis anois ar a guaillí. Lean mé orm.

'Sula raibh ann don phobal, bhí ciníocha an domhain iomlán scartha agus scaipthe ar fud an domhain. San am sin, agus leis na mílte bliain roimhe sin, ba iad na fir a bhí i réim ar an domhan agus le bheith iomlán macánta leat, go leor ban ag tacú leo. Córas na bhfear, a dtugtaí an Phatrarcacht air. Córas domhothaithe, dofheicthe; ach córas dosháraithe daingean a bhí ann.

'Bhí dream fear ar leith i gceannas ar an Phatrarcacht seo, mar bhí na fir ba shaibhre ar domhan, agus bunús na bhfear sin lonnaithe sna háiteanna ba shaibhre ar an domhan. Bhí aon chreideamh amháin a dhíth leis an Phatrarcacht a tháthú. Ba chuma tú i d'fhear róshaibhir nó i d'fhear beo bocht, chreid siad uilig aon rud amháin os cionn achan rud eile, go raibh siad uilig céim os cionn na mban.'

Bhí Eileas trína chéile. 'Tuigim a dheacra atá sé seo uilig a thuigbheáil, a thaisce. Tchím ceist agat.'

'Cad é mar a bhí siad ní b'fhearr ná mná; agus cad é mar a bhí siad saibhir?'

'Gabh mo leithscéal, a stór, tá mé céim chun tosaigh sa scéal.'

Tharraing mé anáil fhada: 'Ar feadh fada go leor, gach táirge a rinne an duine, d'fhéadfá é a cheannacht. Baineadh úsáid as saothar an duine féin ar tús leis na táirgí a dhéanamh, ach, de réir a chéile, ba é an duine féin a díoladh le hór nó le hairgead a dhéanamh as an bheartaíocht. De réir a chéile, baineadh úsáid as páipéar, agus sa deireadh thiar thall, ní raibh airgead ná ór ná páipéar a dhíth ach airgead fíorúil.

'Dá mbeadh go leor airgid agat, d'fhéadfá níos mó a cheannacht ná mar a bhí uait. Mura raibh airgead agat, bheadh ort níos mó de do shaothar a dhíol le maireachtáil. An dtuigeann tú a bhfuil á rá agam, a thaisce?'

'Tuigim, sílim.'

Lean mé orm. 'De réir a chéile, d'éirigh mionlach fear ní ba shaibhre ná bunús na ndaoine ar domhan. Ach dá mhéad a shaothraigh siad, ba mhó a bhí uathu; go dtí go raibh mórán de mhaoin an tsaoil ag an mhionlach seo amháin. D'úsáid siad an saibhreas leis an tsaol a rialú, rud a rinne siad gan trócaire. Agus fríd chóras cumarsáide s'acu, rialaigh siad achan chóras eolais a bhí ann agus, a bheag nó a mhór, rialaigh siad na smaointe a bhí ag achan uile dhuine ar domhan.'

Chonaic mé ceist eile sna súile aici.

'Cá mhéad duine a bhí sa mhionlach seo?'

'Maise, ní raibh ann ach cúpla míle duine ar fad.'

'Cúpla míle! Ach bhí na billiúin eile ann, cad chuige nár stop siad iad?'

'Ceist mhaith, a stór. Ach bhí an oiread sin daoine i sáinn an ghanntanais agus na bochtaineachta. Úsáideadh achan uile rud le hiad a smachtú, an córas oideachais ach go háirithe, agus nuair a theip ar na rudaí sin, úsáideadh na póilíní agus an t-arm lena gcoinneáil síos.

'Ba mhinice an chosmhuintir ag troid eatarthu féin. Chuir lucht an rachmais cluain orthu. Ní hionadh go raibh eagla ar an chuid ba bhoichte, tugadh orthu bheith mar sin. Ach, cá bith ba chúis leis, níor throid siad ina n-éadan—go dtí go raibh sé rómhall. Agus, nuair a bhí sé rómhall, bhí siad ag troid d'fhonn fanacht beo.

'Ba sin nuair a thoisigh an ciorrú cine. Na himpireachtaí móra fearúla ag troid ar son uisce agus bia. Ach fán am sin, ba dhísciú síoraí ar acmhainní an domhain é. Ní raibh foraois ná coill nár leagadh. Tháinig an pointe scaoilte, ach níor thug siad faoi deara é.'

'Ach cad é mar is ann dúinne, mar sin de?'

'Seo an chuid is íorónta den scéal. Bhí duine de lucht an rachmais sin ann a thuig cad é a bhí ag teacht agus bhí sé ag ullmhú dó le blianta. D'fhostaigh sé eolaithe athraithe aeráide agus téimh dhomhanda le hoibriú amach cá háit ar an domhan a thiocfadh slán as an uafás. D'aimsigh siad an t-oileán seo.'

'Maise, nach orainne a bhí an t-ádh go raibh muid anseo sa ghleann!'

'Bhuel, bhí an t-ádh orainn ar bhealach, ach ní raibh muid ar an oileán.'

Bhí an t-iontas le feiceáil ina súile.

'Nuair a bunaíodh an áit seo, chan "an pobal" a tugadh uirthi ach "an choilíneacht"!'

'Cad é sin?'

'Bhí daoine eile anseo, dúchasaigh an oileáin. Throid siad go tréan in éadan na coilíneachta.'

'Throid siad linne?'

'Chan muidne go díreach. D'earcaigh an billiúnaí arm d'iarshaighdiúirí agus tháinig siadsan isteach leis an ghlanadh a dhéanamh.'

'Glanadh?'

'Na dúchasaigh a ghlanadh as an oileán.'

'A mharbh?'

'Iad a mharbh.'

'Tuigim anois cad chuige nár roinneadh an stair seo leis an phobal, níl ann ach uafás i ndiaidh uafáis, tubaiste i ndiaidh tubaiste!'

'Is é, a Eileas, agus ní tháinig feabhas ar an scéal le fada ina dhiaidh.'

'Ní fhéadfadh sé éirí níos measa!'

'Nuair a maraíodh na dúchasaigh uilig, tugadh isteach thart ar dhá chéad bean agus scaifte beag fear, as achan chearn den domhan. Cuid acu le hobair a dhéanamh sna páirceanna; cuid acu leis an obair a dhéanamh sa teach mhór agus i mbeairic na saighdiúirí. An chuid eile, bhuel, bhí siadsan le húsáid mar chailíní pléisiúir, mar a thug na fir orthu. Bhí beagnach ochtó saighdiúir aige; ceathrar acu mar ghardaí pearsanta an bhilliúnaí. Saighdiúirí de scoith an airm ab ea iad sin.

'Tógadh teach ollmhór maorga dó féin, an teach inar tógadh tú féin agus na páistí uilig. Beairic an airm, an áit atá mar thionól againn anois. Bhí botháin bheaga ann do na hoibrithe eile. Bhí a gharda pearsanta agus na cailíní "pléisiúir" sa teach leis.

'Mhair sé sin traidhfil de bhlianta. Ansin thoisigh na ráflaí nach raibh teagmháil leis an taobh amuigh níos mó; nach raibh fágtha ar an domhan ach muintir an oileáin. D'imigh achan duine sa phobal chun scaoill, na saighdiúirí ach go háirithe.

'Níorbh fhada gur aithin na saighdiúirí nár ghá daofa cloí le rialú an bhilliúnaí, agus chuaigh siad ar mire le craos fola. Mharaigh siad an billiúnaí agus ghlac siadsan seilbh ar an teach agus ar an ghleann. Cailleadh moll mór daoine san anord sin, mná den chuid is mó. D'éalaigh cuid acu ón ghleann. Rinneadh sclábhaithe don chuid eile. Agus aon duine a throid ar ais, ní fhacthas an duine sin arís ní ba mhó.

'Tá go leor ráite agam don lá inniu, a stór. Ba chóir dúinn a ghabháil ar ais chun tí agus scíste a dhéanamh. Ól cupa den tae fíogadáin nuair a théann tú ar ais. Beidh lá fada eile againn amárach, a stór.'

'Gabhaimis anois, le do thoil,' ar sí agus tuirse croí uirthi, ba léir.

Ag siúl ar ais dúinn, labhair muid faoi áilleacht an ghleanna agus mar atá síocháin an ghleanna ina údar misnigh againn i gcónaí, ag iarraidh an chian a thógáil di. Chaith sí tamaillín sa tseomra suain ag ól tae, gur chuidigh sé léi titim ina codladh.

D'éirigh mé go luath an lá arna mhárach. Chaith mé seal ag machnamh ar an lá a bhí romham. Bheadh Eileas níos réidhe i ndiaidh oíche mhaith chodlata. Shiúil mé amach agus d'amharc ar an ghleann amach romham.

Gleann diamhair a bhí ann go cinnte. Deich míle ar fhad agus ceithre mhíle ar leithead. Páirceanna ag bun na sléibhte ag ceann amháin an ghleanna, agus goirt oráistí, úll agus líomóidí ag an cheann eile. An choill féin, a d'fhás thart ar thaobhanna an ghleanna ar fad, thart ar chúig mhíle ar doimhne ag gabháil suas le fána an tsléibhe, agus na sléibhte féin os cionn na coille gan bhearna. Ní raibh ach aon bhealach isteach sa ghleann, bealach beag amháin ón chósta fríd an tsliabh.

Sin mar a tugadh achan duine isteach ar an chéad dul síos. Nuair a glanadh amach na dúchasaigh, tógadh lonnaíocht mar a bhíodh ann san Iarthar. Bhí áiteanna móra stórála ann don bhia; bia domhillte: cannaí, síolta, gráinní d'achan chineál. Níl cuid ar bith de sin fágtha a thuilleadh. Ach bhí beostoc ann: ba, muca, agus cearca—na mílte acu sin. Ar an dea-uair rinneadh iad a choinneáil ar fheirm i lár an ghleanna atá ann go fóill.

Bhí mé caillte ionam féin, agus bheadh orm Eileas a aimsiú. Fuair mé í ag tábla na cistine ag ithe bricfeasta.

'Bhuel, a thaisce, tá súil agam gur chodail tú go maith aréir. Beidh do láidreacht mar chosaint agat inniu.'

'Chodail mé mar a bheadh rón ann, a Hrdy. Chuidigh an caoineadh go mór liom agus an tae, ar ndóigh. Sílim, go díreach, gur baineadh geit asam inné, ach tá mé réidh dó inniu. Mar a dúirt tusa, tá mé oilte go maith ar ghnóthaí an phobail anois. Cá háit a rachaidh muid inniu?'

'Is maith an rud an caoineadh, a stór. Ach, i mo chroí istigh, bhí muinín agam asat, agus, mar is eol duit féin, tig an mhuinín ón eolas. Gabhaimis. Tá áit bheag socraithe agam ar mhala an tsléibhe ó thuaidh. Gort oráistí atá ansin agus suíochán ag ceann an ghoirt, áit is féidir linn radharc an ghleanna a mheas agus stair na háite a fhoghlaim.'

Thug sé uair an chloig orainn an gort agus an suíochán a bhaint amach. Ag siúl fríd an ghort dúinn, bhain mé oráiste de ghéag crainn agus nuair a shuigh muid rinne mé é a scamhadh.

'Múchaimis an tart leis an oráiste sula dtoiseoidh muid. Beidh ábhar tromchúiseach le plé againn inniu agus b'fhearr liom toiseacht le sóbhlas i mo bhéal.'

Chaith muid cúig bhomaite ag ithe gan smid asainn. D'amharc muid uainn ar fud an ghleanna agus ar airde na sléibhte agus ar áilleacht na háite. Bhí feothan beag gaoithe ann agus boladh oráiste á iompar aige a líon ár bpolláirí le suaimhneas.

'Is maith an rud an áilleacht agus an t-uafás a chur le hais a chéile. Tchí muid go maireann maith is olc le chéile go minic.'

'Tá mé ag éisteacht, a Hrdy, agus ní bheidh caoineadh ar bith ann inniu.'

'Ná habair sin, a thaisce. Níor chuala tú scéal gránna an lae inniu go fóill. Tá sé brúidiúil scáfar agus gráiniúil agus beidh áilleacht an ghleanna agus grá an phobail a dhíth ort le fanacht i do mheabhair.'

'Bhuel, mar sin de, ná lochtaigh mé má bhriseann an gol orm.'

Thoisigh mé. 'Nuair a mhaolaigh an creachadh agus an léirscrios; thoisigh milleadh na mban. Bliain an éignithe agus na sclábhaíochta a bhí sa bhliain sin. Stróiceadh uathu dínit na mban agus caitheadh go maslach leo gan staonadh. Ach, níor rud úr é seo, a stór. Nósanna a chleacht na fir ariamh anall, fir chogaidh ach go háirithe. Tá stair na mban breac le scéalta mar seo le deich míle bliain anuas. Ní fhéadfá bheith ag súil lena mhalairt. Ach sin ráite, bhí roinnt fear i gcónaí a sheas ina n-éadan, agus b'amhlaidh sin anseo, mionlach, déanta na fírinne, ach sheas siad go cróga gur maraíodh go leor acu. D'éirigh le roinnt acu éalú agus chuaigh siad i bhfolach sna sléibhte. Ní raibh stiúir ar bith ar an ghleann ag an am. Chaith na fir bunús an ama ag ithe is ag ól. D'ith siad an bia domhillte amháin, bhí siad chomh falsa sin. Fágadh bia na bpáirceanna ag achan duine eile, nó ligeadh dó titim le lobhadh.

'Bhí go leor ban sna sléibhte ar a gcoimhéad ó na saighdiúirí, ach saothar in aisce a bhí ann. Bhí orthu a theacht anuas le bia a chuardach agus bhíodh na fir ag fanacht leo. Bhíodh na saighdiúirí ag gabháil in olcas lá i ndiaidh lae. Bhí laghdú suntasach ar líon na mban fán am seo.

'Oíche amháin, bhí triúr ban óg ag teacht isteach sa ghleann fá choim na hoíche ar lorg bídh: Khaled, EeBee Gamble agus Mernissi. Ní tháinig siad isteach le chéile, ní raibh ann ach comhtharlú go dtáinig siad uilig isteach san áit mhór stórais chéanna an oíche sin. Deir daoine gur lámh na cinniúna a bhí orthu, ach ní chreidim ina leithéid de rud. Cá bith rud é, seo an oíche a thiontaigh an ghaoth.

'Bhí EeBee Gamble sa dorchadas ag scríobadh an talaimh ar lorg síolta nuair a tháinig an garda uirthi. Scaoil sé amach scread mharfach in ard a chinn: "Éirigh i do sheasamh agus cuir suas do lámha!"

'Sheas EeBee láithreach agus a lámha in airde. Rug an garda greim ar a cuid gruaige agus tharraing i dtreo an dorais í. Bhí EeBee ag tarraingt na gcos agus ag iarraidh éalú uaidh nuair a chaith sé go talamh í. Thóg sé a ghunna agus d'aimsigh uirthi. Ba ansin a léim Khaled amach as an dorchadas agus píosa miotail ina lámh aici gur bhuail sí ollchnag ar chloigeann an gharda. Thit sé ina chnap ar an talamh agus fuil ag sileadh óna cheann go líofa.

'Bhí an bheirt bhan ag stánadh ar a chéile, iontas agus eagla orthu beirt. Labhair Khaled ar tús le glór creachach: "An bhfuil sé marbh?"

'"Déarfainn é," a d'fhreagair EeBee.

'"Maith go leor, beidh orainn an corp a thabhairt linn agus a chur i bhfolach sa choill. Dá dtiocfadh siad air anseo agus fios acu gur maraíodh é, rachadh siad ar mire glan agus ní fios cad é an dochar a dhéanfadh siad. Mura bhfuil corp ann, seans go gcreidfidh siad gur imigh sé i lár na hoíche le bia a fháil."

'Chroith EeBee a ceann.

'"Tógaimis an corp ar tús," arsa Khaled.

'Ag an phointe sin sheas bean eile amach as an dorchadas.

'"Agus ná déanaigí dearmad ar an ghunna," a dúirt sí.

'Baineadh geit as an bheirt eile agus lig siad scread astu. Ach faoiseamh a tháinig orthu nuair a chonaic siad gur bhean í.

'"Cuideoidh mise libh. Mernissi a bheirtear orm."

'Chaith sí strapa an ghunna thart ar a gualainn.

'"Go maith," arsa Khaled. "Tóg thusa na síolta agus aon bhia eile atá ina luí ansin agus tógfaidh muidne an corp. Khaled atá ormsa, dála an scéil."

'D'amharc siad beirt ar an bhean eile.

'"EeBee!" a d'fhreagair sí.

'Rinne siad a mbealach go bacach go himeall na coille agus shuigh ansin cúpla bomaite. Nuair a bhí siad sásta nach raibh aon duine dá leanúint, thóg siad an t-ualach arís agus chuaigh i bhfolach i measc na dtom ba thibhe, a bhí ag tarraingt na gruaige féin as a gcinn. Shiúil siad go dtí go raibh siad fada go leor isteach leis an chorp a fholú.

'Roghnaigh siad áit a raibh crann tite. Thochail siad poll éadomhain lena lámha agus cuireadh an corp faoin chrann. Nuair a bhí siad réidh, shuigh siad le chéile ag baint dealg as gruaig agus as éadaí a chéile.

'"Níor mharaigh mé duine ariamh, níl mé cinnte cad é mar a mhothaím," arsa Khaled.

'"Ná bí thusa buartha," arsa EeBee, "ach ab é thusa, bhí mise marbh."

'"Tá an ceart aici, a Khaled," arsa Mernissi. "Chonaic mise achan rud—scaoilfeadh sé í ach ab é gur bhuail tusa é."

'"Tchím sin! Ach go fóill beag, sin an chéad uair a rinne mé duine a bhualadh fiú."

'"Sílim go mbeidh orainn roinnt eile a bhualadh sula mbeidh deireadh leis seo," a dúirt EeBee.

'"Ba chóir dúinn fanacht le chéile anois," arsa Mernissi.

'"Tá mé ag teacht leat air sin," arsa EeBee. "Níl mórán uilig againn, ach má chomhoibríonn muid as seo amach, beidh muid ábalta maireachtáil."

'"Aontaím," a dúirt Khaled, "ach beidh orainn níos mó ná sin a dhéanamh. Beidh orainn mná eile a mhealladh chugainn le muid féin a chosaint. Ní mhairfeadh muid rófhada linn féin."

'Agus sin agat é, a Eileas. Fíorthús an phobail.'

'Ní thig liom a chreidbheáil go raibh na fir chomh gránna, marfach sin. Is a mhalairt de dhóigh atá ar fhir an phobail s'againne.'

'Is fíor duit, a Eileas, ach ghlac sé fada go leor leis an chóras seo a chur i bhfeidhm. Beidh sos beag againn.'

Shiúil muid ar ais agus d'ith lón sa teach. Shiúil muid amach le chéile arís ach an t-am seo shocraigh muid go rachadh muid suas mala an tsléibhe ó dheas. Tá teach beag ansin a úsáidtear mar theach suaimhneacháin, agus bheadh muid ábalta tréimhse a chaitheamh ann go sómasach.

'Tá mé réidh, a Hrdy, agus tá mé ar bís. Abair liom, cad é a tharla ina dhiaidh sin?'

'Maith go leor. Tabhair seans domh mé féin a shocrú.'

D'inis mé an scéal seo fiche uair ach bhí orm mé féin a réiteach.

'Bhuel, ghlac sé tamall, ach de réir a chéile mheall siad ceathrar ban eile chucu: Martu, Nawal, Davis agus Beauvoir. Bhí Martu ar an bhean ba chróga ar bhuail duine ar bith acu léi ariamh. Bhíodh sí istigh agus amuigh as an bhaile chóir a bheith achan oíche agus rinne sí teagmháil le bean eile, Lí Bán. Bhí Lí Bán mar sclábhaí collaíochta ag na saighdiúirí.

'Níor éalaigh Lí Bán ón teach, nó ní raibh sí sásta na mná eile a thréigint. Bhuail Lí Bán le Martu oíche amháin nuair a bhris Martu isteach sa teach le deochanna a ghoid. Rinne sí gáire agus chuidigh sí léi creata fíona a ghoid agus, de réir a chéile, d'éirigh siad mór le chéile. D'aontaigh siad go bhfaigheadh siad achan uile bhean amach as an áit sin, ach plean cuimsitheach a bheith acu le déileáil leis na saighdiúirí a bhí istigh.

'Ní bhíodh ach garda amháin istigh sa teach a fhad is a bhí an chuid eile ag pleidhcíocht. Oíche amháin, nuair a bhí na saighdiúirí uilig ólta, thug Martu Lí Bán ar ais léi go campa na mban sa choill. Phléigh siad ansin éalú na mban uilig ón teach.

'"Beidh sé furasta aon gharda a chur ar seachrán," arsa Lí Bán, "nó tá siad uilig iontach tógtha le bean óg atá sa teach. Ní bheidh deacracht leis sin. Ach is cuma iad ar meisce, ní bhíonn siad chomh hólta nach dtabharfadh siad faoi deara na mná uilig ar shiúl! Thiocfadh siad sa tóir orainn gan mhoill. Bheadh sé sin róchontúirteach."

'D'aimsigh Martu méar amháin i dtreo na spéire. "Tá sé agam," ar sí. "Thig linn rud inteacht a chur sna deochanna le hiad a chur ina gcodladh."

'"An bhfuil druga mar sin againn?" a d'fhiafraigh Davis.

'"Beidh rud inteacht sa chógaslann," arsa Martu. "Rachaidh mise agus Lí Bán síos ansin anocht."

'"Rachaidh mé libh," arsa Mernissi. "Bhéarfaidh mé an gunna liom ar eagla."

'"Tá súil agam nach mbíonn ort é a úsáid!" arsa EeBee.

'"Éist, a EeBee." Labhair Mernissi le glór fuarchúiseach. "Nuair a chinn muid na mná a shaoradh ón teach sin, rinne muid cinneadh ár saoirse féin a sciobadh ar ais. Ná bíodh aon dabht i do cheann nach mbeidh troid againn. Ní ghéillfidh na saighdiúirí seo a saol seascair gan troid. Beidh marfach ann, bealach amháin nó eile."

'D'aithin EeBee an fhírinne sin agus chroith a ceann in aonta go drogallach.

'"Ach ná húsáid é mura bhfuil gá leis."

'Thóg Mernissi an gunna.

'"EeBee, ní saighdiúir mise. Ní úsáidfear an gunna seo ach i gcás éigeandála amháin. Agus beidh muid chomh ciúin le luchóga beaga fómhair."

'Mar a gheall Martu, bhí an triúr an-chúramach ag gabháil isteach sa bhaile. Bhí corrshaighdiúir ar garda thart fán bhaile ach b'fhurasta iad a sheachaint. Ní raibh siad ag súil le rud ar bith agus mar sin de, ní thug siad rud ar bith faoi deara. Bhí bunús na saighdiúirí sa teach, mar is gnách, ag ól is ag ragairne. Bhí ceol le haithint ar snámh fríd an bhaile. Ceol tíre de chineál inteacht. Rinne na mná a mbealach go dtí an chógaslann. Ní raibh duine ar bith ann. Bhí an doras faoi ghlas.

'"Thiocfadh liom é a scaoileadh," a dúirt Mernissi.

'Thug Martu radharc Bhaloir di. Ba léir di go raibh Mernissi ar bís an gunna a thriail.

'"Triail an fhuinneog sin thall," arsa Lí Bán. "Mura bhfuil sí foscailte, thig leat ceann an raidhfil a úsáid lena briseadh."

'Bhris Mernissi an fhuinneog. Chuaigh siad isteach ach bhí sé dubh dorcha san áit.

'Labhair Lí Bán i gcogar: "Fanfaidh muid cúpla bomaite go n-éireoidh na súile cleachta leis an dorchadas."

'"Thig libhse fanacht," a d'fhreagair Martu. "Tá mise ag gabháil ar lorg na rudaí atá a dhíth orainn."

'"Bíodh foighid agat," arsa Mernissi léi, "gheobhaidh muid achan rud atá uainn ach a bheith cúramach."

'D'amharc an bheirt bhan eile uirthi le hiontas.

'"Nach tú a bhris an diabhal fuinneoige sin!" arsa Martu go tarcaisneach.

'D'imigh sí léi. Shuigh Mernissi ag éisteacht le callán na beirte. Chuala sí gloine á briseadh agus sheas sí go gasta agus rith chucu.

'"Nach dtig libh a bheith ciúin. Cluinfear sinn!"

'"Amharc," arsa Martu, "d'aimsigh muid é."

'D'amharc siad ar an chófra: *Nimhiúil*.

'"Chan nimheanna ach piollairí suain a bhí uainn," a dúirt Mernissi.

'"Éist liom, a Mernissi," arsa Lí Bán. "Dá músclódh na saighdiúirí sin agus na mná uilig imithe; cad é a dhéanfadh siad?"

'Níor dhúirt sí focal. Chuaigh Lí Bán ar aghaidh. "Thiocfadh siad ar ár lorg. Agus níl an gleann seo chomh mór sin nach dtiocfadh siad orainn ag pointe inteacht. Agus ansin mharódh siad achan uile dhuine nach raibh sásta teacht ar ais leo mar sclábhaithe. Cad é a dhéanfadh muid ina dhiaidh sin?"

'"Tá an ceart agat," arsa Mernissi. "Beidh orainn gunnaí

s'acu a thabhairt linn ón teach chomh maith. Agus nuair a thiocfas siad beidh muid ábalta muid féin a chosaint."

'"Is saighdiúirí iad, a Mernissi," arsa Lí Bán, "beidh teacht slán na mban ag brath ar an ghealán bheag dóchais go gcuirfidh muidne an cath orthu. Níl mise sásta a ghabháil sa tseans sin. Beidh orainn iad a mharú leis an nimh, an méid acu is féidir linn, dá luaithe a bheas deis againn, agus seo an t-aon deis a bheas againn."

'"Ní cinneadh s'againne é fá láthair," arsa Martu. "Tógfaidh muid linn achan rud ar féidir linn agus pléifear seo leis an chuid eile ar ball."

'"Go maith. Ach, a Mernissi—"

'"Cad é?"

'D'amharc Lí Bán ar Mernissi agus ansin ar Martu: "Is í an fhírinne lom a dúirt mé libh ansin."'

Shos mé tamall agus d'amharc mé ar Eileas. 'Caithfidh sé go bhfuil ceisteanna agat fán mhéid atá ráite agam ar maidin?'

Bhí rabharta ceisteanna aici agus rinne muid cur agus cúiteamh agus muid ag siúl go bog réidh agus titim na fána linn. Bhí achan duine eile ar ais sa teach fán am ar bhain muidne amach é. D'aontaigh muid a theacht le chéile arís i ndiaidh bricfeasta an lá arna mhárach.

Ar maidin chuaigh mé ar lorg Eileas. Fuair mé í i measc cuideachta mhaith agus iad ina suí ar an urlár agus í mar mheigeadán i lár báire.

'Siúlaimis chun na páirce, a thaisce.' Bheannaigh an chuideachta eile domh.

'Cinnte, a Hrdy.'

D'fhág sí slán lena cairde agus dheifrigh i mo dhiaidh. Shiúil muid i dtreo na bpáirceanna beatha agus comhrá beag éadrom eadrainn. Chuaigh muid síos fríd bhealach na mbothán agus amach ar an chosán a bhéarfadh chuig na páirceanna sinn.

Tá deich bpáirc againn, thart ar acra an ceann. Fástar bunús an bhia sna páirceanna sin. Baintear barr iontu chóir a bheith achan bhliain. Bheir an choill torthaí agus eile dúinn, ach bíonn muid ríchúramach gan géilleadh don tsaint. Tá go leor eile ag fás sa choill; cnónna agus luibheanna agus bia folláin eile.

Thig leis an ghleann, i gcomhar leis an choill, trí chéad duine a bheathú. Sin an méid. Tuigeann achan duine sa phobal sin agus ní sháraítear cion laethúil an duine de bhia. Ach tá go leor le hithe san am i láthair agus is annamh a bhíonn ganntanas bídh ann. A fhad is go gcoinníonn muid smacht ar an daonra. Bhí cúpla drochbhliain ann nuair a cailleadh barraíocht le galar an fhiabhrais. Ach ní raibh muid i bhfad ag fáil na n-uimhreacha ar ais arís.

An lá seo shocraigh mé labhairt ar dhuine eile de bhunaitheoirí an phobail, Doibhlin.

'Suímis, a thaisce, tá scéal agam duit fá bhean as cuimse darbh ainm Doibhlin.

'Lá amháin agus Mernissi agus Martu amuigh ar thóir éadála sa choill agus iad an-chúramach gan a ghabháil róchóngarach don bhaile, chuaigh siad bealach nár thriail siad ariamh. Bhí siad ag gabháil fríd mhothar tiubh scrobarnaí, nuair a chonaic Martu uaithi rud ar shíl sí gur ainmhí marbh a bhí ann. Nuair a shroich siad an corpán, d'aithin siad gur duine a bhí ann, béal faoi sa chlábar.

'"An bhfuil sé beo?" a d'fhiafraigh Mernissi.

'"Níl barúil agam!"

'"Bhuel, faigh amach."

'Chrom Martu síos le feiceáil an raibh beocht ar bith ann, nuair a bhog an corp go tobann. Ba bheag nár léim Martu as a craiceann.

'"Dar fia, an bhfaca tú sin? Beag nár shlog mé mo theanga."

'"Bhuel, ar a laghad tá a fhios againn go bhfuil sé beo." Rinne Mernissi gáire beag.

'Thóg Martu gualainn an duine agus ansin a chonaic sí gur bean a bhí ann. Bean iontach óg. Nuair a bhog siad í as an chlábar, ina luí fúithi, fuair siad mála ríse. Rinne Martu iarracht í a athbheochan. Glanadh an salachar uilig óna béal agus a súile le huisce agus cuireadh ina suí le crann í. Mhúscail an bhean óg go mall agus de réir a chéile tháinig sí ar ais chuici féin. Ní raibh eagla ar bith uirthi nuair a chéadchonaic sí an dís roimpi.

'"Lig tharat tamall fá shuan," ar Mernissi léi. "Beidh tú ar chaolchéadfaí tamall go dtiocfaidh tú ar ais chugainn. Thig a rá linn cad é a tharla nuair a bheas tú réidh."

'Níor ghlac sé ach cúig bhomaite uirthi toiseacht a labhairt.

'"Doibhlin is ainm domh," ar sí. "Bhí mé ag éalú ón bhaile agus beirt fhear sa tóir orm." Stop sí go tobann. "Cá'l mo mhála ríse? Chóir a bheith gur ghéill mé mo bheo ar a shon, cá'l sé?"

'D'aimsigh Mernissi méar i dtreo an mhála. "Ná bí buartha, sin thall é."

'"Níor shaothar in aisce é, ar an dea-uair." Lean sí lena scéal. "Bhí an t-ocras ag cur cigilte ar mo bholg agus tuirse mhífholláin ar mo chorp. Bhí a fhios agam mura bhfaighinn bia go raibh mé caillte. Bhris mé isteach sa stóras fá choim na hoíche ach bhí gaiste curtha acu. B'éigean domh rith leis an mhála ar mo ghualainn agus beirt shaighdiúirí sa tóir orm. Ní raibh mé le stopadh, ach sciorr mo chos. Caitheadh mo cheann go gasta go talamh gur stop géag crainn mé leath bealaigh síos, a bhain díom aon ghreim a bhí agam ar mo chéadfaí.

'"Bhí mé ag tuisliú sa dorchadas tamall gur thit mé béal faoi sa chlábar. Níl a fhios agam cá fhad a bhí mé 'mo luí anseo. Níl a fhios agam cén dóigh nár bádh mé. Bhí mé ar tí géilleadh agus m'aghaidh a thabhairt ar an tsíoraíocht. Sin an uair a tharraing tú ar ais isteach sa tsaol mé."

'"Is iontach an t-éacht é," a dúirt Mernissi. "Tá tú píosa maith ar shiúl ón bhaile anseo."

'"Níor mhothaigh mise an t-achar," a d'fhreagair Doibhlin le hiontas.

'"Glac go bog é, a chara," arsa Mernissi. "Níl deifre ar bith orainn anois."

'Taobh istigh de leathuair an chloig, tháinig an misneach ar ais inti agus d'éirigh Doibhlin ina seasamh.

'"Tá tú ag teacht ar ais linne, a Dhoibhlin," arsa Mernissi. "Beidh tú slán ansin. Is duine cróga thú. Beidh duine mar thusa a dhíobháil orainn."

'"Bhuel, is cinnte nach dtig liom a ghabháil siar níos mó. B'fhearrde domh a ghabháil chun tosaigh."

'Thóg Martu an mála ríse. "Iompróidh mise é seo duit, tá go leor d'ualach iompartha agat inniu."

'Bhí siad cúpla uair sular shroich siad áit fholaithe na mban. Bhí naonúr ban ina suí i gciorcal ag caint le chéile.

'"Tá cara úr againn," a scairt Mernissi. "Tháinig muid

uirthi leathmharbh sa choill. D'éalaigh sí ón bhaile le mála ríse agus scaifte fear sa tóir uirthi."

'"Cad é an t-ainm atá ort?" a d'fhiafraigh EeBee di. "Is mise EeBee."

'"Agus na mná eile seo?" arsa Doibhlin go giorraisc.

'Chuir EeBee na mná uilig in aithne, duine ar dhuine. Thoisigh sí leis na mná a bhí go fóill ag cur fúthu sa teach mhór. "Seo iad Lí Bán, Tarabai, Li Tingting agus Chekhova, atá lonnaithe sa teach mhór." Agus ansin chuir sí mná an champa in aithne, "Agus seo hiad Nawal El Saadawi, Khaled, Beauvoir agus Davis, atá liomsa anseo. Cuirfidh tú aithne mar is ceart orthu ar ball. Anois díreach, agus mura miste leat, is tábhachtaí go dtabharfaidh tú aon eolas breise dúinn atá agat fán bhaile."

'"Ní mholfainn do dhuine ar bith a ghabháil isteach ann. Bíonn na saighdiúirí ólta níos minice ná a mhalairt. Agus nuair atá siad ólta, is contúirtí ar fad iad. D'éalaigh mise uathu dhá mhí ó shin nuair a thoisigh siad ag marú daoine le spórt!"

'Labhair EeBee arís: "Ach níl rogha againn, a thaisce. Caithfidh muidne smacht a fháil ar an tsaol seo. Mura ndéanfaidh muid sin gan mhoill, ní bheidh fágtha ach sclábhaithe oibre agus leapa."

'Labhair Doibhlin arís. "Bhí mise ag obair mar ghlantóir acu, ach ní raibh siad sásta leis sin. B'éigean domh éalú. Bíonn saighdiúirí ar garda ar fud an bhaile achan lá. Go díreach sular éalaigh mé, bhí siad ag marú, agus níos measa, daoine a dhiúltaigh géilleadh dá mianta. Agus rinneadh é le barr magaidh."

'Bhí Doibhlin beagnach ag caoineadh anois. "Níl aon trócaire acu do dhuine ar bith. Níorbh fhéidir impí orthu, ná margadh a dhéanamh leo. Níl ionainn ach sclábhaithe."

'"Ní bheidh muid ag impí orthu, ná ag déanamh margaidh leo," arsa Martu go tobann. "Ní raibh ariamh againn ach saol ciapach. Ní bheidh muid cráite, ná inár n-íobartaigh a thuilleadh."

'"Níl aon socrú déanta againn go fóill, a Martu," arsa EeBee.

'Léim Doibhlin ar ais sa chomhrá: "Mura ndéanfaidh sibh iad a mharú, dhéanfaidh siadsan muidne a mharú. Tá sé chomh simplí sin."

'"Aontaím léi!" arsa Martu.

'"Agus mé," a dúirt Mernissi.

'Thuig siad go maith go mbeadh orthu rud gránna a dhéanamh, le deireadh a chur leis an fhuafaireacht seo, ach bhí leisce ar EeBee sin a admháil go fóill.

'Sheas EeBee arís. "Tuigim go mbeidh orainn rud inteacht mailíseach, suarach a dhéanamh, ach ciallaíonn sé go mbeidh an saol úr againn, bunaithe ar ainghníomh."

'"Ní bheidh!" a scairt Khaled. "Beidh orainn gan ligint don aimsir atá caite aon bhaint a bheith aige leis an saol úr amach anseo. Dhéanfaidh muidne an gnó gránna seo, muidne amháin, agus ní bheidh a fhios ag duine ar bith eile ach sinne cad é a rinne muid. Nuair a bheas an t-ainghníomh curtha dínn, toiseoidh muid ón úr. Gan aon bhaint ag an am seo le saol na nglún úr."

'Labhair Doibhlin arís: "Chaith mise seal fada i bhfolach in uaimh le béal cúng caol a bhí rite isteach idir dhá charraig mhóra agus clúdach de ghéaga agus de dhuilleoga air. Bhí mé beagnach marbh leis an ocras. Bhí eagla mo chraicinn orm. Níl mé sásta ligean don eagla mo shaol a rialú níos mó. Cuirimis deireadh leis an uafás seo nó beidh deireadh linn uilig!"

'Chuir Lí Bán a lámh in uachtar, d'amharc achan duine uirthi. Níor labhair sí go minic.

'"Is againne, sa teach, a bheas an t-ainghníomh seo le déanamh. Sinne, mé féin, Tarabai, Li Tingting agus Chekhova. Beidh orainne iad a mharú, tá sé ar intinn againn le fada. Labhair muid ceathrar go domhain fá seo agus tá muid toilteanach é a dhéanamh. Beidh oraibhse na gardaí amuigh agus an bheairic a láimhseáil, sin é!"

'Chroith EeBee a ceann. "Beidh muidne libh. Dhéanfaidh muid uilig é nó ní dhéanfaidh duine ar bith é."

'Den chéad uair, labhair Beauvoir amach: "Tá sé rí-thábhachtach nach mbeidh stair na bhfear ag an chéad ghlúin eile, agus is cuid de stair na bhfear an rud seo a dhéanfaidh muid. Dhéanfaidh muidne cinnte de nach mbeidh ach ár macasamhail féin ar an eolas fá seo go deo. Mná iontaofa!"

'"An aontaíonn muid uilig leis sin?" a d'fhiafraigh EeBee.

'D'fhreagair achan duine d'aon ghlór.

'"Go maith. Anois, an chuid is deacra. Plean leis an ghníomh a chur i gcrích."

'Labhair Lí Bán arís: "Caithfidh muidne dul ar ais go dtí an teach nó aithneoidh siad ár n-imeacht. Tá a fhios againn cad é atá le déanamh. Tiocfaidh muid ar ais le chéile arís roimhe sin le rudaí a chomhordú."

'D'imigh siad i ndiaidh d'achan duine croí mór isteach a thabhairt daofa.

'Anois, stopfaidh muid ansin, a stór. Toiseoidh muid ar an chuid eile amárach.'

Bhí dreach an díchreidimh ar aghaidh Eileas.

'Ní thig stopadh ansin, a Hrdy, tá mé ar bís!'

'Bíodh foighid agat, a thaisce. Toiseoidh muid ar an chuid eile den scéal amárach arís.'

'Ní bheidh mé in ann codladh anocht ag fanacht leis.'

Go luath an lá arna mhárach, bhí Eileas ina seasamh ag mo dhoras ag fanacht liom.

'Bhuel, a stór, nach tú atá i do shuí go luath le mífhoighid.'

'Ní thig liom fanacht, a Hrdy; níor chodail mé néal aréir.'

'Ceart go leor. Ach caithfidh muid ithe sula dté muid go garraí an tsuaimhnis. Ach ná déan dearmad, a stór; lá éigin beidh an scéal seo agat de ghlanmheabhair agus beidh ortsa an scéal a thabhairt ar aghaidh chuig an chéad ghlúin eile de mhúinteoirí.'

'D'fhéadfainn éisteacht leis fiche uair, a Hrdy.'

'Bainfidh muid sult as an dícheallacht atá ionat mar sin.'

Shiúil muid go fadálach go dtí an garraí. Ní raibh sa gharraí sin ach áit le suí go suaimhneach. Thug mé faoi deara an mhífhoighid i súile na mná óige romham; thoisigh mé láithreach.

'Shuigh an t-ochtar thart i gciorcal. Labhair Beauvoir ar tús: "Tá a fhios againn go bhfuil ar a laghad cúigear fear is tríocha fágtha mar shaighdiúirí, b'fhéidir beagán níos mó. Níl ann anois ach an ceathrar atá i gceannas agus a lucht leanúna. Tá fiche fear eile ann ag obair daofa siúd mar sclábhaithe. Ní bheidh aon bhagairt uathu sin. Ní bhíonn siad sa teach ach oiread. Rachaidh siadsan leis an tsruth, nó ní rachaidh, pléifear leo siúd ag an am."

'"Tá seans maith go bhfuil roinnt fear eile i bhfolach sa choill chomh maith," arsa Doibhlin, "ach ní thig linn a bheith ag brath orthu sin cuidiú linn."

'"B'fhearr liomsa mar sin é," arsa Khaled. "Is sinne amháin a dhéanfaidh seo. Sin an t-aon bhealach a mbeidh smacht againn ar thoradh an ruda—an toradh atá uainn."

'"Caitheann siad bunús a gcuid ama sa teach mhór, ag ól agus ag éigniú," arsa Beauvoir.

'Labhair EeBee arís: "Dúirt Lí Bán nach mbíonn ach fiche acu sa teach; cá háit a mbíonn an chuid eile?"

'"Ina gcodladh sa bheairic, ag téarnamh ón phóit," arsa Doibhlin, "agus b'fhéidir triúr eile ag spaisteoireacht thart ar an bhaile ag coinneáil súl ar rudaí. Agus duine amháin sa dúnán ag bun an ghleanna."

"Beidh orainn an teach agus an bheairic a ghlacadh anonn ag an am chéanna. Tá sé sin ríthábhachtach!" a dúirt Martu. D'aontaigh siad uilig.

'"Dhéanfaidh Lí Bán, Tarabai, Li Tingting agus Chekhova an teach a láimhseáil. Mhol Lí Bán a haon déag san oíche, sin an t-am is fusa iad a láimhseáil," arsa Beauvoir.

"Glacfaidh EeBee, Nawal, Davis agus mé féin an bheairic. Martu, Doibhlin, Mernissi agus Khaled, glacfaidh sibhse an chuid eile amuigh."

'"Beidh gunnaí a dhíth orainne," arsa Mernissi.

'"Beidh," arsa EeBee, "ach mar bheart in am na héigne! Más féidir nimh a chur ina mbuidéil beorach, is amhlaidh is fearr é."

'"Cinnte, más féidir é," a dúirt Khaled.

'D'aontaigh Mernissi agus Doibhlin léi láithreach.

'"Cha bhíonn sin ceart," arsa Martu, "ní thig linn iadsan amuigh a mharú go dtí go bhfaighidh muid amach go bhfuil an chuid eile sa teach agus sa bheairic maraithe. Má tharlaíonn cath gunnaí idir sinn agus na gardaí eile roimh ré, fógrófar an t-aláram ar fud an bhaile agus bhéarfaidh sé rabhadh do mhuintir an tí, is cuma cé chomh hólta leo."

"'Tá an ceart aici," a dúirt Khaled. "A luaithe atá an gníomh déanta agaibhse sa teach agus sa bheairic, caithfear scéal a chur chugainne, dhéanfaidh muidne ár ngnoithe ansin láithreach."

"'Ach cad é mar a dhéanfaidh muid an scéal a chur chugaibh?" a dúirt Eebee. "Ní bheidh a fhios againn cá'l sibh."

"'Tá a fhios agamsa," arsa Doibhlin. "Tá lóchrainn Shíneacha sa teach, chonaic mé iad nuair a bhí mé ag glanadh na cistine. Labhair le Lí Bán faoi. Ligigí sibhse dhá lóchrann san aer, ní chuirfear iontas ar bith iontu, agus nuair a tchífeas muidne na soilse beidh siad mar chomhartha againn ár ngnó féin a dhéanamh, fiú má bhíonn orainn na gunnaí a úsáid."

'Bhí faoiseamh ar aghaidheanna achan duine acu leis an réiteach sin.

"'Maith go leor," ar EeBee, "tá plean againn anois. Rachaidh Khaled agus Martu síos chun an bhaile leis an scéal a roinnt leis an chuid eile sa teach agus ná déanaigí dearmad na lóchrainn sin a iarraidh. Tá siad riachtanach."

"'Ceist bheag amháin," a dúirt Nawal go ciúin. "Cad é a dhéanfaidh muid leis na corpáin uilig? Beidh go leor acu ann."

'D'amharc achan duine ar a chéile. Bhí an freagra ag Doibhlin arís: "Tá loisceoir mór dramhaíola ar an bhaile. Dhéanfaidh muid iad a loscadh!"

"'Sin é," arsa EeBee, "ní bheidh aon fhianaise fágtha ina dhiaidh. Foirfe! Anois, dhéanfaidh mise an nimh a shocrú. Fuair mé oideas uaidh Chekhova, oideas gan teip, a dúirt sí—ní chreidim mé féin ag caint mar seo!"

'Scoir an cruinniú ach shuigh Khaled, Martu, Doibhlin

agus Mernissi le chéile go fóillín. Khaled a luaigh an cheist nár tógadh roimhe.

'"Mura n-úsáide muid na gunnaí, cad é mar a mharófar iad, le buidéal beorach? Beidh sé sin uilig ag brath barraíocht ar an ádh a bheith orainn go n-ólfaidh siad iad."

'"Ní bheidh mise ag gabháil i muinín an áidh," a dúirt Martu. "Nuair a tchífeas muid an dá lóchrann in airde, cuntaisfidh muid go fiche agus scaoilfidh muid iad uilig ag an am chéanna. Ceart go leor?"

'Cad é mar a mhothaínn tú, a Eileas?'

'Tá m'anam i mo bhéal. Níor thuig mé ariamh gur mar sin a cruthaíodh an pobal! Níl a fhios agam cad é mar a mhothaím, déanta na fírinne.'

'Éireodh tú cleachta leis de réir a chéile, a stór. Sin mar a chuaigh sé i bhfeidhm ormsa an chéad uair.'

'Coinnigh ort mar sin de, le do thoil!'

'Tháinig lá na cinniúna agus achan duine réidh dó. Bhí an cleachtadh go léir déanta acu agus chaith siad an lá sin ag déanamh scíste. Lá iontach te a bhí ann agus bheadh na saighdiúirí ag ól níos mó ar oíche shéimh the mar é. Rinne siad a mbealach uilig le chéile go himeall an bhaile, áit ar bhuail siad le Chekhova. D'fhan ansin go dtáinig luí na gréine.

'"Bhéarfaidh muid leathuair an chloig do ghrúpa Mernissi. Beidh orthu a theacht ar na saighdiúirí coise sin. Rachaidh muidne ár mbealach féin ina dhiaidh sin," arsa EeBee. "Ádh mór oraibh anois."

'"Maise, tá súil agam nach ag brath ar an ádh a bheas muid," a chogair Khaled le Martu.

'Thóg Martu an gunna agus dúirt: "Dheamhan a bheas!"

'"An nglacfaidh mise an duine sa dúnán?" a d'fhiafraigh Doibhlin.

'Níor easaontaigh duine ar bith. Leathuair ina dhiaidh sin, chuaigh EeBee, Nawal agus Beauvoir i dtreo na beairice agus chuaigh Chekhova ar ais go dtí an teach agus an nimh léi le cur sna deochanna.

'"Scaraimis anois," arsa Mernissi. "Níl ach cúpla áit ar féidir leo a ghabháil, glacfaidh muid bealach an duine."

'Scar na mná. Níorbh fhada go dtáinig Mernissi ar fhear de na saighdiúirí ina shuí taobh amuigh de bhothán, cúig chéad slat ón teach mhór. Chuaigh sí i bhfolach taobh thiar d'fhál nach raibh ach fiche slat uaidh. D'fhan sí ansin go ciúin gan chorraí.

'Lean Khaled cosán beag ar feadh cúig bhomaite go dtáinig sise ar shaighdiúir. Bhí sé ag siúl leis i dtreo an tí.

'"Dar fia! Cad é atá mé ag gabháil a dhéanamh?" Ní raibh an t-am aici smaointiú. Scairt sí amach leis: "Haigh! An dtig leat cuidiú liom?"

'Thiontaigh sé thart go tobann agus a ghunna aimsithe uirthi.

'"Cé sin?" a ghair sé go bagartha.

'"Níl ann ach mise, cailín ar lorg beagán cuideachta, sin uilig. Tá cúpla buidéal agam más maith leat ceann a roinnt liom?"

'D'imigh aon amhras a bhí air, nuair a chonaic sé an bhean óg seo roimhe.

'"Mar a tharlaíonn sé," a dúirt sé ar nós cuma liom, "bhí mé ag gabháil isteach go díreach anois le deoch a fháil, ach má tá buidéal sa bhreis agatsa anois—is féidir leatsa tabhairt orm deoch bheag a ól."

'Shiúil sé chuici, a raidhfil caite thart ar a ghualainn ar ais.

Labhair Khaled arís: "Goitse agus suímis le chéile, amach as an bhealach; má thuigeann tú mé?"

'"Sílim go dtuigim. Ní aithním thú ón teach, an duine de na daoine úra thú?"

'"Úrnua! Agus déanta na fírinne, tá siad uilig ró-ólta sa teach; ní raibh fonn orm luí le meisceoir."

'Shuigh Khaled ar ghlasóg bheag a raibh fál beag thart air. Boladh deas na hoíche ag ceilt fhírinne a hainghnímh. Ba léir nach raibh an saighdiúir iomlán cinnte cad é a bhí ag gabháil ar aghaidh ach shuigh sé taobh léi ag déanamh cinnte nach raibh a raidhfil ar fáil di. Thug sí an buidéal dó. D'amharc sé air agus ansin d'ól sé as go santach. Beag nár chríochnaigh sé an buidéal in aon slogóg amháin. Chuir Khaled lámh thart ar a mhuineál.

'"Tá buidéal eile agam anseo, más fonn leat é."

'Abairt amú a bhí ann. Chas súile an tsaighdiúra ina cheann agus thit sé siar. Bhí sé marbh sular bhuail a cheann an talamh.

'"Dar fia! Tá an stuif sin marfach!" Bhí sé ráite aici sular thuig sí gur labhair sí amach é.

'Sheas sí, d'amharc thart agus ansin tharraing sí corp an fhir siar taobh thiar don fhál, áit nach bhfeicfí é ón teach. Stán sí air tamaillín agus labhair sí leis: "Maith domh é." Thóg sí a raidhfil agus chuir thart ar a gualainn é. D'amharc sí air arís. Shiúil sí léi ansin, ag súil le cuidiú le duine eile.

'Bhí Doibhlin deich mbomaite ag siúl thart sula dtáinig sí ar shaighdiúir s'aici. Bhí sé istigh sa dúnán ar imeall an bhaile; an duine is faide ar shiúl ón teach mhór. Ba léir di láithreach go mbeadh deacracht aici an chuid is fearr a fháil ar an fhear seo.

'Bheadh uirthi a bealach a dhéanamh chuig an dúnán gan

aird an tsaighdiúra a tharraingt uirthi féin, rud nach mbeadh furasta. Ní raibh foscadh ar bith aici ar urchair an tsaighdiúra dá bhfeicfeadh sé í. Ní thiocfadh léi siúl go díreach chuige le buidéal beorach, thiocfadh an t-amhras air gan dabht. Thuig Doibhlin nach raibh mórán ama fágtha aici, dá rachadh an dá lóchrann in airde, thoiseodh an scaoileadh gunnaí agus bheadh sé réidh di.

'Go díreach ansin, d'fhoscail sé doras an dúnáin agus shiúil amach. Shiúil sé fiche slat ón dúnán agus ba léir do Dhoibhlin go raibh sé ag gabháil lena mhún a dhéanamh. Ní thiocfadh léi gan an deis seo a thapú. Rith sí chomh tiubh géar agus a tháinig léi, go raibh sí istigh sa dúnán. Ghread sí an doras ina diaidh agus chuir glas air.

'Ar chluinstin ghreadadh an dorais don tsaighdiúir, chas sé mar a bheadh roth ann agus thoisigh a rith ar ais go doras an dúnáin. Bhí sé rómhall, agus níos measa ná sin uilig, thuig sé gur fhág sé a raidhfil istigh ann.

'"Foscail an doras!" a bhéic sé, agus an racht feirge róláidir ina ghlór, an cineál feirge a bhíonn ar dhuine a rinne botún críochnaithe. Bhí a shúile ag gobadh as a cheann agus é ag radadh na bhfocal leis an té a bhí istigh. Go tobann, stop sé. Bhí sos fada sular labhair sé arís. Shuaimhnigh a ghlór.

'"Éist liom! Is amaideach an mhaise duit mé a dhruid amuigh, is furasta domhsa fanacht anseo an oíche ar fad ach beidh ort a theacht amach ag pointe éigin. Cad chuige nach dtagann tú amach anois agus dhéanfaidh muid dearmad gur tharla seo ar chor ar bith. Cad é do bharúil?"

'D'fhan Doibhlin leathbhomaite sular labhair sí. "Geallfaidh tú domh nach ndéanfaidh tú rud ar bith orm?"

'"Geallaim duit, bheirim an leabhar!"

'Ghlac Doibhlin bomaite eile. "Tabhair cúpla bomaite domh agus tiocfaidh mé amach, ach seas siar go dtig liom tú a fheiceáil mar is ceart."

'"Cinnte. Glac d'am. Seasfaidh mise siar píosa, ná bí buartha."

'Chúlaigh an saighdiúir siar píosa go bhfeicfeadh an bhean istigh go raibh sé dáiríre. Bhí a ghunna láimhe dingthe síos cúl a bhríste aige.

'Nuair a bhí seo uilig ag tarlú, bhí Martu ag socrú síos taobh thiar de bhalla beag agus saighdiúir s'aici ag siúl suas agus anuas cosán taobh thiar den teach mhór. Luigh sí siar ar a droim le cinntiú go bhfeicfeadh sí na lóchrainn ag ardú sa spéir. Fear ollmhór a bhí sa tsaighdiúir agus thuig sí láithreach nach mbeadh ach aon rogha aici; bheadh uirthi é a scaoileadh agus a scaoileadh níos mó ná uair amháin. Luigh sí ansin ag iarraidh gan smaointiú ar an eachtra a bhí roimpi.

'Fiche bomaite roimhe sin, bhí EeBee, Nawal, Beauvoir agus Davis i ndiaidh a dhul isteach fríd chúldoras na beairice, de réir na dtreoracha a thug Chekhova. Bhí seomra beag stórais ann, áit a raibh éadaí an tí leagtha amach ag fanacht leo. D'athraigh siad a gcuid éadaigh agus bhain seomra mór na beairice amach sular labhair EeBee. "Gabhaimis anois láithreach, dhéanfaidh muidne an gníomh!"

'D'fhoscail Nawal an doras agus chuaigh siad isteach. Bhí dhá sheomra mhóra agus dhá sheomra bheaga sa bheairic agus iad lán leapacha. Chuartaigh Beauvoir agus Nawal an dá sheomra mhóra. Fuair siad fear amháin sa dara seomra ina luí go fóill ina chodladh. Thóg Beauvoir an raidhfil a bhí ar an urlár fána leaba. Bhí gunna láimhe crochta ag bun na leapa agus thóg sí sin chomh maith.

'"Cad é a dhéanfaidh muid leis?" a d'fhiafraigh Nawal. "Ní thig linn é a scaoileadh anois, níl arm ar bith aige."

'Tháinig EeBee agus Davis isteach agus arsa Davis i gcogar: "Níl duine ar bith eile anseo. Chuardaigh muid an dá sheomra bheaga—folamh. Níl ann ach é féin."

'"Caithfidh sé go raibh sé ar meisce," arsa Beauvoir.

'"Fágfaidh muid an cinneadh fán cheann seo ag an chuid eile," arsa Nawal.

'D'aontaigh siad uilig agus chuaigh EeBee le mná an tí a bhailiú.

'Tamall beag gairid roimhe sin, bhí Lí Bán, Tarabai, Li Tingting agus Chekhova i ndiaidh a theacht le chéile sa teach.

'"Tá siad breá ólta," arsa Lí Bán. "Li Tingting, réitigh an bealach leis an gharda nach bhfuil ag ól anois."

'"Fadhb ar bith," arsa Li Tingting go muiníneach, "nuair a shiúlaim thart air bheir sé cuireadh a ghabháil isteach sa stóras beag leis achan uile uair."

'"A luaithe atá mo dhuine sa stóras leat, rachaidh muidne amach leis an nimh," arsa Tarabai.

'"Mar bharr ar an ádh," arsa Lí Bán, "tá na ceannairí uilig in aon seomra amháin ag ól. Santaíonn siad an t-uisce beatha is fearr daofa féin. Dhéanfaidh mise an seomra sin."

'"An bhfuil go leor—nimhe agat?" a dúirt Tarabai le himní.

'"Tá. Ná bí buartha, cuireadh oiread in achan bhuidéal agus a mharódh eilifint; agus tá siad ar nós cuma liom fá dtaobh dínn, níl amhras ar bith orthu."

'"Go maith," arsa Tarabai. "Toiseoidh mise agus Chekhova sa mhórsheomra a luaithe a imíonn sibhse."

'Chuaigh siad uilig i mbun oibre agus cuireadh tús le

hainghníomh na hoíche sin. Bhí beagnach tríocha sé saighdiúir ina luí thart sa tseomra, níos mó ná mar a bheadh ann de ghnáth, agus seisear ban eile an tí i gcuideachta leo. Bhí na saighdiúirí uilig ag ól leo gan srian. Beoir is mó a bhí siad a dh'ól, ach ba chuma sin, bhí buidéil d'achan chineál leis na mná. Tugadh rabhadh do na mná eile gan aon rud a ól.

'An rud ab iontaí ná nach raibh aon amhras ar dhuine ar bith de na saighdiúirí fá na mná seo a bhí ag freastal orthu. Bhí siad chomh muiníneach sin astu féin, nó b'fhusa a rá gur dhall a gcuid sotail féin iad ar an rud a bhí ag tarlú. Níor shamhlaigh siad ariamh go ndéanfadh bean ar bith de na mná seo a leithéid de rud.

'Taobh istigh de thréimhse ghairid, bhí siad uilig marbh, nó sin a shíl siad. Go tobann, sheas duine de na fir. Is cinnte go raibh sé ólta, ach ba léir don dall go raibh rud inteacht as alt ag gabháil ar aghaidh. Rinne sé iarracht an duine in aice leis a mhúscailt agus duine eile. Bhí na mná uilig ag stánadh air agus é anois ag stánadh orthu. Bhí Chekhova taobh thiar de. Thóg sí buidéal den tábla agus bhuail sí cnag air sa chloigeann. Thit sé ar an urlár ach ní raibh sé róghortaithe. Rinne sé iarracht a ghunna a fháil. Bhuail Chekhova arís é. Thit sé síos arís ach ní raibh sé marbh. Bhain Tarabai crois de bhríste an fhir in aice léi agus chuir sí thart ar mhuineál mo dhuine é. Bhain sé trí bhomaite aisti agus sa deireadh bhí sé marbh ar an urlár.

'Sheas na mná uilig thart ag amharc ar an ár a bhí déanta acu, ag bomaite a mbáis, ní raibh a fhios ag na saighdiúirí cad é a tharla. Níor dhúirt duine ar bith de na mná a dhath ach an oiread.

'I ndiaidh bomaite, labhair Lí Bán go socair. "Sin achan

duine sa teach. Cad é fán gharda?" D'amharc sí thart ar lorg Li Tingting. Tháinig sí amach as seomra beag stórais agus scian ina lámh.

'Chroith Li Tingting a ceann. "Níl le déanamh anois ach lucht na beairice a sheiceáil agus ina dhiaidh sin na lóchrainn a scaoileadh agus fanacht leis an chuid eile."

'Ba ag an phointe sin a tháinig EeBee isteach ón bheairic agus d'iarr orthu pilleadh léi. Nuair a shroich siad an bheairic, bhí an fear go fóill ina chodladh.

'"Faigh rópa lena cheangal," arsa EeBee le Davis. "Ansin músclóidh muid é. Beidh toradh na hoíche ag brath air féin."

'Rinne siad amhlaidh. Bhí meadhrán ina cheann ar mhúscailt dó agus níor laghdaigh an meadhrán nuair a chonaic sé an scaifte ban ina seasamh thart air agus iad uilig armtha.

'"Cad é atá ag gabháil ar aghaidh?"

'"Cá háit le toiseacht!" arsa EeBee. "Bhuel, tá deireadh le réimeas na bhfear agus tá rogha le déanamh agatsa, a bheith báúil leis an úr, nó dílis don tsean. Is fút féin atá sé. Cad é a shíleann tú?"

'D'amharc sé orthu uilig: "Cad é an cineál saoil é sin?"

'"Saol nach ionann é ar bhealach ar bith agus an saol a bhíodh ann go dtí seo!" arsa Nawal.

'"Agus mura n-aontaím?" arsa sé, gan fiú leid bheag ina ghlór de cad é mar a mhothaigh sé fán chruachás ina raibh sé.

"Ní bheidh tú mar chuid de agus beidh ort do bhealach féin a dhéanamh taobh amuigh den phobal," a d'fhreagair EeBee.

'"Agus na saighdiúirí eile?"

'"Rinne siadsan rogha gan a bheith páirteach sa tsaol úr agus, táthar uilig—imithe."

'"Tchím." Chuimil sé a smig. "Bhuel, más sin an t-aon rogha atá agam, b'fhearrde domh a bheith páirteach mar sin de."

'D'amharc EeBee sna súile air: "Mura gcuireann sé as duitse, coinneoidh muid fá chúram thú go dtí go bhfuil achan duine againn slán sábháilte agus ar ais sa phobal."

"Tuigim duit, a bhean uasal, agus glacaim leis sin. Ní bhfaighidh tú aon trioblóid uaimse."

'D'fhiafraigh EeBee den chuid eile: "An bhfuil áit ar bith ar féidir linn é a choinneáil fá ghlas?"

'"San armlann!" a ghair Li Tingting. "Nuair a bheas na gunnaí uilig glanta amach as, beidh sé foirfe mar chillín go ceann tamaill."

'"Dhéanfaidh sin cúis."

'"Anois," arsa Li Tingting, "caithfidh muid na lóchrainn a scaoileadh."

'"Dhéanfaidh mise é," arsa Tarabai. "Ón bhalcóin thuas staighre sa tseomra mhór chun tosaigh."

'"Rachaidh mé leat," a dúirt Lí Bán.

'Rith siad leo. Fuair Lí Bán na lóchrainn agus lastóir agus thug do Tarabai iad. Rith sise suas an staighre go dtí an balcóin. Las sí an dá lóchrann agus scaoil uaithi iad. D'ardaigh siad go fadálach i gciúnas na hoíche, rud a bhréagnaigh a bhfíor-rún.

'Chonaic Martu an chéad lóchrann agus shuigh sí suas díreach arís. Shín sí a gunna amach uaithi dírithe ar an fhear mhór, a bhí go fóill ag siúl anonn is anall, os comhair chúldoras an tí mhóir. Chonaic sí an dara lóchrann. Chuntais sí go mall go fiche agus scaoil sí an chéad philéar. Bhuail an piléar an saighdiúir mór sa bhrollach agus chaith siar go talamh é, a raidhfil thart ar dheich slata eile uaidh. Bhí sé ag bogadaí go fóill ar an talamh.

'Tháinig scaoll ar Martu, ní raibh sé gortaithe ró-olc. Mheas sí go raibh veist philéardhíonach air. Sheas sí agus rith ina threo. Bhí an saighdiúir ag éirí ar ghlúin amháin. Scaoil sí an dara piléar a bhuail sa ghualainn é; thit sé siar arís.

'D'fhan Martu ina seasamh ag amharc air. Ghlac sí céim bheag amháin eile chuige. Le cic ghasta, bhain an saighdiúir na cosa as faoi Martu agus chuaigh sí i ndiaidh a mullaigh san aer agus thit an gunna as a lámh.

'Léim an saighdiúir ina sheasamh, ag amharc thart ar lorg a raidhfil. Chonaic sé é agus rith lena thógáil. Thiontaigh sé ar an toirt le Martu a mharú.

'Nuair a thiontaigh Martu san aer, tháinig sí anuas arís ar a bolg agus thit a gunna in aice lena haghaidh. Bhí an gunna ina lámh aici láithreach agus thoisigh sí ag scaoileadh i dtreo an fhir mhóir gur fholmhaigh sí fáiscín a gunna.

'Níor scaoil an saighdiúir aon philéar amháin agus cé gur fholmhaigh Martu an gunna aici níor shroich ach aon philéar amháin an saighdiúir mór, ach bhuail sé sa scornach é. Stróic an t-urchar a fhéith scornaí. Bhí sé ag bá ina chuid fola féin. Thit sé síos ar a ghlúine, agus ansin, díreach chun tosaigh, gur bhuail a aghaidh an talamh. Bhí sé marbh!

'Bhris an gol ar Martu. Ní raibh a fhios aici an le faoiseamh nó le heagla a chaoin sí, ach chuir sí taom maith goil di féin sular stop sí. D'amharc sí ar chúldoras an tí agus bhí Tarabai agus Nawal ag rith chuici gur chaith siad a lámha thart uirthi agus iad uilig ag caoineadh anois.

'Bhí Mernissi go fóill ag cuntas go fiche nuair a chuala sí an chéad rois piléar. Nuair a d'amharc sí suas, bhí an saighdiúir ag léimní go talamh agus ag coimhéad achan rud thart fá dtaobh de. Níor chorraí Mernissi, dá mbogfadh sí anois bhí sí marbh. Chuaigh an scaoileadh ar aghaidh ar feadh cúig shoicind, ach mhothaigh Mernissi gur mhair sé tamall rófhada. Bhí eagla uirthi análú.

'Chuaigh bomaite thart sular éirigh an saighdiúir ar a ghogaide, d'amharc sé thart air féin arís agus d'éirigh ina sheasamh. Chaith sé an raidhfil thart ar an ghualainn arís.

'Chuala Mernissi é ag siúl agus d'éirigh sí, ag amharc air. Bhí a dhroim léi agus é ag siúl uaithi. Sheas sí. D'aimsigh sí a gunna air agus scairt leis: "Caith uait do ghunna!"

'Stop sé. Thiontaigh sé a chloigeann. Scairt Mernissi leis arís: "Caith uait do ghunna mar a dúirt mé!"

'Chuir an saighdiúir a lámh ar dhornchlúid an raidhfil go mall.

'"Caith uait anois é, nó beidh daor ort!"

'Ba léir an scaoll ina glór. In aon ghluaiseacht amháin thiontaigh an saighdiúir thart agus tharraing sé an truicear. Bhí Mernissi ag scaoileadh léi fán am seo agus ghoin sí sa bhléin é gur lúb sé chun tosaigh agus thit go talamh.

'Mhothaigh Mernissi an piléar a bhuail sa bholg í, ach níor mhothaigh sí aon phian. Ghlac sé tamall uirthi titim ina cnap ar an talamh. Bhí sí ina luí ansin, ag smaointiú ar an rud a rinne sí. Chuala sí glothar báis an tsaighdiúra agus bhí sí féin cloíte ag an bhrón. Luigh sí ansin ag caoineadh

'Taobh istigh de cheathrú uaire, tháinig Beauvoir agus Chekhova uirthi san áit ar thit sí. Bhí Mernissi marbh. D'fhan an bheirt bhan ag stánadh uirthi ina luí ina linn fola féin. Thóg an dá bhean corp Mernissi. Bhí sí trom, ach rinne siad a mbealach ar ais go malltriallach go dtí an teach mór.

'Bhí na mná eile uilig ag fanacht ag an doras tosaigh. Rith siad uilig chucu. D'iompair siad Mernissi isteach sa teach eatarthu, fuil na mná ar achan uile dhuine acu anois, agus shuigh siad uilig thart ag amharc uirthi agus iad ag caoineadh.

'An rachaidh mé ar aghaidh, a Eileas?' Chonaic mé na deora lena súile.

'Le do thoil, a Hrdy, lean ort.'

'Ghlac sé seachtain iomlán daofa achan rud a réiteach. Bhí an créamatóir ag gabháil ar feadh cúig lá sular múchadh é. Nuair a bhí achan chomhartha den ghníomh a rinneadh an lá sin glanta ar shiúl, agus gan iomrá ar bith fágtha d'aon rud a bhain leis na saighdiúirí, a gcuid arm agus a gcuid éadaigh comhraic san áireamh, bhí siad réidh do chorp Mernissi.

'Bhí siad uilig, aon duine dhéag acu, i láthair nuair a dódh a corp. An oíche chéanna, shuigh na mná thart ar an urlár sa teach mhór. Chuir EeBee tús leis an chaint.

'"In ómós do Mernissi, dhéanfaidh muid í a fhaire anocht. Ach ina dhiaidh sin amach, molaim nach ndéanfar ceiliúradh ná comóradh ar an rud a rinne muid go deo. Ní raibh aon ghlóir bainteach leis an uafás sin. Sin ráite, ná déanaimis dearmad ar Mernissi agus muid beo. Ach ná labhraímis ar an tslad sin a choíche."

'Níor easaontaigh aon duine acu.

'"Molaim go gcuartaímid achan uile dhuine atá i bhfolach amuigh ansin sa choill, idir mhná agus fhir. Beidh eagla ar dhaoine go fóill ach caithfidh muid an pobal seo a thógáil arís gan mhoill. Luíonn sé orainne a chinntiú nach mbeidh aon chosúlacht idir an saol atá romhainn agus an saol a chuaigh thart. Socróidh muidne anois cad é atá uainn."

'D'aontaigh achan duine léi arís d'aon ghuth. Sheas Nawal le labhairt. Labhair sí mar nár labhair sí ariamh ina saol. "Creideann bunús na ndaoine gur ann do Dhia, agus cad é an chéad rud a thug Dia do na fir? Is é, thug sé tús áite daofa. Dúirt sé gurbh iad ba láidre, b'éirimiúla agus a ba chumasaí. Tchí sibh an bealach a bhfuil seo ag gabháil—cuirimis deireadh leis an chreideamh sin ar an chéad dul síos."

'Labhair EeBee leis an tionól arís: "Tuigim nach dtig linn tabhairt ar na daoine amuigh ansin a gcreidimh a shéanadh. Ach, is fúinne amháin atá sé a chinntiú nach mbeidh aon reiligiún ag an chéad ghlúin eile. Bíodh aon chreideamh ag aon duine is mian leo go fóill, ach tacaím le moladh Nawal nach dtabharfaí ar aghaidh aon reiligiúin dár gcuidne as seo amach."

'Stop EeBee, ag fanacht le heasaontú, ach ní tháinig sé. Lean sí uirthi: "Dar ndóighe, troidfear inár n-éadan, nó beidh go leor ann a bhfuil an creideamh go fóill go docht iontu. Ach nuair a thuigfeas siad nach ann d'aon duine eile beo ar domhan, seachas na daoine ar an oileán, bhuel, beidh sé soiléir nár shábháil aon Dia amháin iad. Tá fiche creideamh éagsúil ag na daoine atá fágtha ar an oileán fiú. Luíonn sé le ciall go raibh achan uile dhuine acu ceart. Ach gur lig achan Dia achan duine eile ar domhan bás a fháil. Nó, os a choinne sin uilig, nach mó an seans go bhfuil achan uile dhuine acu contráilte! Níl ciall ná réasún leis, luíonn sé le ciall go raibh siad uilig contráilte."

'"Is é," a dúirt Chekhova, "dá mba rud é gurbh ann d'aon Dia acu, ritheann sé le ciall nach mbeadh fágtha sa tsaol seo ach iad siúd a chreid ann."

'"Tá an ceart ag Chekhova," arsa Lí Bán, beidh orainn

achan pháiste a thógáil gan néal an chlaonta orthu. Caithfear iad a thógáil gan aon reiligiún acu. Ní bheidh na seanrialacha i bhfeidhm le bac a chur orainn. Agus leis sin a chinntiú, molaim go dtógfar na páistí uilig le chéile, sa teach mhór seo; agus muidne amháin mar mhúinteoirí acu."

'Glacadh go maith leis an mholadh sin.

'"Sin é, mar sin de," arsa EeBee. "Tá obair mhór romhainn, ach dhéanfaidh muid í gan staonadh. Déanaimis ár scíste anocht. Ach, maidin amárach, gabhaimis amach ag mealladh na ndaoine ar ais anseo. Tógfaidh muid an pobal úr. Achan duine againn ag obair le chéile, ag obair ar son a chéile."'

D'amharc mé ar aghaidh Eileas arís. Ní fhaca mé ach ionadh agus iontas, agus dúirt mé léi go séimh: 'Sin é, a thaisce. Sin mar a tharla an pobal seo a bhunú.'

Ba chosúil nár mhaith léi go mbeadh deireadh leis an scéal.

'Ach ní hionann an saol sin agus an saol atá againne anois,' ar sise liom.

'Tá a fhios agam, a stór, ach sin mar a cuireadh deireadh leis an tseansaol agus cuireadh tús leis an tsaol atá againn fá láthair.'

'Cad é a tharla ina dhiaidh sin, a Hrdy? Ní thig leat mé a fhágáil san aer mar sin.'

'Tuigim duit, a stór, agus is agat atá an ceart. Ní deireadh an scéil é, ach tús le scéal eile. Ach cuirfidh mé tús leis an scéal sin amárach. Anois, b'fhearr duit ligean don scéal sní isteach i d'inchinn agus do mhachnamh a dhéanamh ar an mhéid a chuala tú inniu. Tógfaidh muid air seo sa teach mhór i ndiaidh am bricfeasta.'

Shiúil muid ar ais le chéile agus bhí Eileas ag iarraidh

achan láthair staire a thomhas; cá háit go díreach ar tharla achan rud a chuala sí faoi an lá sin.

An lá arna mhárach, d'ith muid bricfeasta le chéile.

'Ith siar go gasta, a Hrdy. Níor mhaith liom fanacht rófhada go gcluinfidh mé an chuid eile den stair againn.'

Rinne mé meangadh beag sular labhair mé: 'Tuigim duit. Ní bheidh aon inse eile den scéal chomh maith leis an chéad inse. Ach ná déan dearmad, a stór: ní ceiliúradh atá ann, ach cur i gcuimhne. Go raibh tú airdeallach nach dtiocfaidh na sean-nósanna ar ais arís. Nach mbeidh ann don aonaránacht, ná don cheannas. Is pobal sinn—achan uile dhuine cothrom lena chéile. Tá muid uilig freagrach as todhchaí an phobail agus beidh an todhchaí sin ag brath ortsa a bheith de shíor ar d'airdeall.'

Shuigh muid ar chathaoireacha beaga ag cúl an tí mhóir gur thoisigh mé an chuid eile den scéal.

'Caithfidh mé bean eile a chur in aithne duit. Bean chomh tábhachtach le bean ar bith eile inár stair. Is í sin Freddie Carney. Nuair a bhí achan duine bailithe le chéile den chéad uair agus iad uilig ag tionól an phobail, bhí 223 duine ar fad ann: 153 bean agus 70 fear. Maraíodh níos mó ná 80 duine le linn thréimhse na saighdiúirí.

'Sheas Freddie ag an chéad chruinniú sin agus labhair sí amach.

'"Is mise Freddie. Seans nach bhfuil a fhios agaibh, ach bhí mise fostaithe ag an bhilliúnaí mar chomhordaitheoir; is oth liom sin a admháil, ach sin mar a bhí. Bhí sé de dhualgas orm achan rud a ullmhú agus a chur in eagar dó. Achan eolas a bhailiú agus a mhíniú dó; rud a rinne mé go dícheallach. Is é, duine de na mná sin mé. Ach char thuig mé go dtí anois a thábhachtaí agus a bhí an obair sin.

'"Tá eolas ríthábhachtach agam daoibh, má tá an pobal úr seo le mairstean ar chor ar bith."

'"Abair amach é, mar sin de," a dúirt EeBee.

'"Ní de thaisme a roghnaíodh an t-oileán seo. Roghnaíodh é de thairbhe a éiceachóras agus a mhiocraeráid féin a bheith aige. Ach, tá an t-éiceachóras agus an mhiocraeráid an-íogair ar fad agus má scriosfar cuid ar bith den fhoraois nó den ghleann, dhéanfaidh sé damáiste do-inste dó. Is é atá mé ag rá ná nach mór dúinn caitheamh leis an timpeallacht seo go han-chúramach agus go cothrom, nó rachaidh sé chun dochair don oileán agus, má deirim féin é, don phobal chomh maith.

'"Mheas na heolaithe nach gcothódh an gleann seo ach trí chéad duine, ar an mhéad, ach achan acmhainn sa ghleann agus san fhoraois a bheith ar fáil dúinn. B'ann d'ollstóras, sular tharla tubaiste na saighdiúirí, a mhairfeadh fiche bliain, dar leo. Agus le bheith iomlán macánta libh, déarfainn anois nach bhfuil ach trí bliana den stóras fágtha againn; cúig bliana má bhíonn muid iontach cúramach leis.

'"Tá an t-oileán seo chomh leochaileach nach dtig linn crann ar bith a leagan, ná fiú páirc amháin eile a threabhadh. Má tá saol úr le bheith againn sa ghleann seo, beidh orainn caitheamh go cúramach léi. Beidh ár mbeo ag brath uirthi."

'"Cad é a mholann tú?" a dúirt EeBee.

'"Níos mó ná rud ar bith eile anois, tá feirmeoirí a dhíth orainn."

'Bhris EeBee isteach arís agus d'fhiafraigh den phobal an raibh feirmeoirí ina measc. Chuir thart ar chaoga duine suas a lámha, mná is mó, ach corrfhear chomh maith.

'Lean Freddie uirthi: "Beidh ar na daoine sin an fheirmeoireacht a theagasc dúinn uilig. Is feirmeoirí sinn uilig anois, agus caithfidh muid, mar phobal, a bheith inbhuanaithe i gcionn trí bliana."

'Sheas Chekhova: "Más fíor nach féidir ach le trí chéad duine mairstean sa ghleann seo, beidh orainn an ráta breithe a rialú as seo amach. Agus, os a choinne sin, beidh orainn a chinntiú nach mbeidh róghaol idir na tuismitheoirí agus na páistí as seo go brách. Caithfear cur chuige iomlán úr a úsáid anois. Cuirfidh sé sin deireadh leis an phósadh agus leis an chumann rómánsúil. Rud nár chuidigh leis an bhean ariamh roimhe cá bith!"

Stop Eileas mé ag an phointe sin.

'Cad é sin, a Hrdy? An cumann rómánsúil?'

'Ní raibh taithí ar bith agam air, ach bhain sé le cúrsaí grá, nó an grá rómánsúil. Chan an grá a bhfuil taithí againne air anois, an grá atá againn dá chéile sa phobal. Ach, an grá eile seo, bhuel—is cineál galair é. Rud a chuir mearbhall ar mhná, agus ar fhir mar aon.

'Bhí siad sáite ina chéile. Thug sé orthu rudaí amaideacha a dhéanamh; mharaíodh na fir bláthanna agus thugadh siad do na mná iad, mar chomhartha grá. Deireadh siad amhráin agus chumadh siad dánta, ag rá gur mhothaigh siad go bhfaigheadh siad bás gan an duine eile seo ina saol. Phósadh siad a chéile, geallta dá chéile go deo, mar dhea.

'Tinneas a bhí ann gan amhras. Throid daoine le chéile gan stad fá dtaobh de. Mharaíodh siad a chéile dá dheasca. Scriosann sé saol an duine. Cailleann siad smacht orthu féin.'

Léirigh Eileas a hiontas.

'Tchíthear domhsa gur maith an rud é nach ann don ghrá

sin a thuilleadh! Ní shamhlóinn mé féin ag rith thart le meadhrán i mo cheann fá dhuine ar bith.'

'Ná bí thusa buartha, a thaisce, ní bheidh a leithéid arís ann agus tú ann leis an rud a chosc sula bhfaighidh sé deis a ghabháil i bhfeidhm ar dhuine ar bith. Sa phobal seo, tuigeann muid mar a oibríonn na mothúcháin orainn agus muid ag teacht chun caithreachais, ach go háirithe.'

'Tá an t-ádh orainn, a Hrdy, nach raibh na cleachtais sin againn sa phobal ariamh.'

'Tá, a Eileas, gan dabht!'

'An raibh cleachtais ar bith eile acu nach bhfuil againne anois?'

'Bhí, agus cuid acu i bhfad níos measa ná an rómánsachas sin. Ach tá go leor ráite agam inniu, labhróimid fá dtaobh daofa sin amárach, a stór.'

'Is é, a Hrdy, tá go leor le mo mhachnamh a dhéanamh air anocht.'

D'éirigh mé an mhaidin dár gcionn ag súil le deireadh a chur leis an scéal. Agus seo thart, aithneoidh Eileas comharthaí aiséirí an tsean-uafáis as seo amach. Ní hann do chreidimh ná d'idé-eolaíochtaí fearúla níos mó. Ach tá bagairt a n-aiséirí ann i gcónaí. Seo na crosa atá in ann di.

'Ól do chuid tae, a Eileas, agus bogaimis. Tá go leor le déanamh againn inniu.'

'Beidh mé leat i gcionn bomaite beag, a Hrdy.'

'Fanfaidh mé ag an doras leat.'

D'amharc mé siar ón teach i dtreo ceann eile an ghleanna. Tá an gleann seo sárálainn agus tá saol ar ár mian againn ann. Déantar talamh slán de sin go minic, ach b'uafásach an troid a rinneadh leis seo a thógáil agus ní mór dúinn a bheith airdeallach agus an-chúramach i dtólamh. Tá teacht aniar an phobail ag brath orainne a bheith síor-airdeallach.

'Sin mise réidh, a Hrdy. Cá rachaidh muid inniu?'

'Reilig an phobail. Sin an áit is oiriúnaí le crích a chur leis an stair. An áit ar scaipeadh luaith achan uile dhuine nach maireann.

'Níl ainm ar bith greanta i gcloch. Níl comhartha ar bith ann do dhuine ar bith. Níl ann ach an áit a scaiptear luaith an phobail i ndiaidh a mbás. Ní dhearctar siar sa phobal. Is é an lá inniu an lá is tábhachtaí i gcónaí.'

'Bhuel,' arsa Eileas liom, amhail is go raibh sí ag súil le gradam inteacht le deireadh a chur le chéadinsint an scéil.

'Ní bheidh aon scol trumpaí ann, a stór,' arsa mise léi. 'Beidh muid inár suí anseo, leo siúd a rinne an réiteach ar fad ina chomhair.'

'Cá háit a dtoiseoidh muid, mar sin de?' ar sise, ach í anois go humhal agus go híseal.

'An ciníochas!' arsa mise go láidir. 'Bhíodh an t-am ann roimh phobal an ghleanna, nuair a thug daoine fuath do dhaoine eile de dheasca dhath a gcraicinn, nó crot na súl, nó, go díreach, gurb as tír inteacht eile iad.'

'Ní thuigim.'

'Tá a fhios agam nach dtuigeann, a stór. Níl ann dá leithéid anois, ach bhíodh sé mar sin fadó.'

'Chaithfeadh daoine le daoine ar dhóigheanna éagsúla de bharr dath a gcraicinn?'

'Is é, a Eileas, chaithfeadh go cinnte. Is bean de dhath thú.'

'Cad é atá tú a mhaíomh, a Hrdy, cad é mar a chaithfí liom?'

'Tá sé dothuigthe anois ach bhí am ann nuair a chaithfí go héagothrom le daoine nach raibh craiceann bán orthu. Níor leor craiceann bán amháin, tugadh tús áite do dhaoine arbh as áiteanna ar leith daofa.'

'Cad é mar a caitheadh leo?'

'Cuireadh bacanna rompu in achan ghné den tsaol: fostaíocht, úinéireacht talaimh, tithe—gach rud. B'ann don sclábhaíocht ar feadh an ama sin, agus d'fhéadfaí daoine a cheannacht agus a dhíol le hobair a dhéanamh don chine bhán ach go háirithe.

'Ní tháinig deireadh leis an chleachtas sin ariamh. Agus fiú sna háiteanna ar cuireadh stop leis an chleachtas mhaslach sin, go fóill bhí bacanna rompu sa tsaol. Cleachtais a mhair go dtí an deireadh, níor stop sé ariamh—go dtí anois, gur cuireadh tús le pobal an ghleanna.'

'Cad chuige a raibh an cine bán chomh cruálach sin, cad é a thug orthu a leithéid a dhéanamh?'

'Eagla, fearúlacht, seobhaineachas, eimpíreachas. Agus cad é a choinnigh sin uilig le chéile—? An Phatrarcacht.'

'Ach, ní sin mar atá fir an phobail seo.'

'Cuireadh deireadh leis na cleachtais sin nuair a bunaíodh an pobal seo, agus níor fhoghlaim siad gurbh ann daofa as sin amach.'

'Abair seo liom, a Hrdy, cad chuige ar shíl na fir go raibh sé de cheart caitheamh le achan duine ar an dóigh sin?'

'B'ionann leo láidreacht agus clisteacht. Bhí siad níos láidre ná na mná, mar sin de, bhí siad níos cliste ná iad. Agus bhain siad feidhm as an loighic cheannann chéanna le húdar a thabhairt don chiníochas. Níl aon dabht ann ná go raibh a fhios acu gur bhréagaigh iad, ach caitheadh saol na bhfear dall ar an fhírinne. Amhail is go raibh míréir chognaíoch dhochloíte orthu. Agus, os a choinne sin uilig, b'fhearrde a d'fhóir an chreidbheáil sin daofa.

'Chruthaigh muidne sa phobal seo gur bhréag é. Ba chuma go raibh na fir níos láidre, ní raibh orainne mar mhná ach a bheith láidir go leor, agus bhí!'

'Agus tá, a Hrdy! Tchímse mná agus fir ag obair lámh ar lámh le chéile sna páirceanna anseo. Is iomaí bean a chonaic mé ag obair ar aghaidh, nuair a bhí an fear deireanach réidh leis an obair.'

'Is fíor duit, a Eileas, ach ní hé go bhfuil muid níos láidre ná iad; níl ann ach go dtig le mná i bhfad níos mó a fhulaingt. Sin é an difear is mó eadrainn. Agus sin an fáth a bhfuil an dualgas seo orainne, mar mhná.'

'Tchím! An bhfuil rud ar bith eile arbh fhiú domh a fhoghlaim?'

'Tá, a Eileas. An rud is tábhachtaí. Sin an fáth ar fhág mé go dtí an deireadh é.'

'Ná coinnigh agat féin é, a Hrdy, cad é atá ann?'

'Rachaidh muid siar go dtí an cruinniú stairiúil sin. Thóg Li Tingting an cheist ba mhó acu uilig. An cheist fan úinéireacht! Níl aon rud níos mó a shantaíonn an Phatrarcacht ná úinéireacht ar achan uile rud. "Ceannaíodh mé," a dúirt Li Tingting, "le bheith ag obair mar sclábhaí collaíochta agus deirim libh uilig anseo, ní bheidh mise mar chuid den phobal arbh fhéidir le duine amháin duine eile a cheannacht."

'Sheas Lí Bán léi agus chuir sí leis an ráiteas: "Níor chóir do dhuine ar bith aon rud beo nó neamhbheo a cheannacht ná a dhíol agus níor chóir go mbeadh an úinéireacht mar chuid don phobal seo go deo."'

Bhí Eileas ag croitheadh a cinn in aonta ach d'aithin mé nár thuig sí go hiomlán caidé a bhí á rá agam.

'Tá míniú níos doimhne ar an tsaint a dhíth, a stór. Ba as an tsaint a d'eascair an úinéireacht agus thuig na mná uilig gur sin an rud ba mhó a bheathaigh an Phatrarcacht.'

'An dtig leat é a shimpliú domh rud beag?'

'Dhéanfaidh mé mo dhícheall, ach beidh ort a bheith foighdeach liom; is coincheapa teibí iad seo.'

Bhí sé deacair rud nach ann dó a thuilleadh a mhíniú. Análú, sin é, agus thoisigh mé arís.

'Le achan rud a luaigh mé roimhe seo, ba í an úinéireacht an creideamh bunaidh, ba í an úinéireacht uirlis bhunaidh na sainte. An úinéireacht a bhí mar bhonn agus mar thaca ag achan uile chreideamh, achan idé-eolaíocht, achan chóras rialaithe, agus ba é an Phatrarcacht an glé a cheangail seo uilig le chéile.

'An tsaint a thiomáin an úinéireacht, ach bhí rud eile a dhíth leis an tsaint a dhéanamh dleathach. Mar bhí an dlí. Bunaíodh córas dlí leis an úinéireacht sin a dhaingniú. Achan uair a ghoid daoiste, corparáid nó impire, talamh, maoin nó acmhainn ar bith a shantaigh siad; ritheadh dlí, a thug úinéireacht dhleathach an ruda daofa!

'Ní raibh sa chóras dlí ach bealach le gadaíocht a dhéanamh dleathach! Sa deireadh, ba le mionlach beag bídeach fear, maoin iomlán an domhain. Deich míle bliain ó shin, thoisigh an úinéireacht. Cuireadh tús le lobhadh an chine dhaonna, meath achan chóras rialtais, teip mhorálta achan phobal, agus de réir a chéile, bhunaigh siad daonlathas aisiompaithe.

'Stáit Chorparáideacha, a thug chun cinn díobhadh an domhain. An tsaint!

'Sin an fáth nach le duine ar bith beo, ná marbh, aon rud ar an oileán seo. Ní le fear ar bith aon bhean agus ní le haon bhean fear ar bith. Ní le duine ar bith aon talamh agus níl aon cheangal ag an talamh le haon duine. Caitheann muidne go cothrom leis an oileán agus mar a chéile, beathaíonn an t-oileán muid.

'Sin agat deireadh na staire, a stór, ach ní deireadh an scéil é. Níor athraigh an cine daonna ón am sin. Tá achan duine go fóill santach, agus tá an tsaint sin chomh mearthógálach le fiabhras an tsamhraidh agus chomh marfach céanna. Is ról an mhúinteora é na tréithe sin a aithint sa duine agus iad a mhúchadh sula n-éirí siad ina chaor bhuile mhire.'

D'amharc mé idir an dá shúil uirthi. Chonaic mé míle ceist iontu. 'Tá ceist agat!'

'Tá, go leor, ach tá dhá cheist ag dó na geirbe agam.'

'Ó! Cad iad?'

'Cad é a tharla don fhear a cuireadh san armlann?'

'Dar fia, a stór! Shíl mé go mbeadh ceist ródheacair agat orm. Bhuel, creid é nó ná creid, ach d'fhan sé san armlann ar feadh a shaoil, cé nach raibh glas ar bith ar an doras i ndiaidh míosa. Chaith sé saol mar chuid den phobal agus d'oibrigh sé go dúthrachtach ar a shon. Níor luaigh sé cad é a tharla an oíche sin arís le duine ar bith. Cad é an cheist eile a bhí agat?'

'Cad chuige nár thriail muid bealach seo an ghleanna, sula dtáinig deireadh leis an domhan?'

'Ceist mhaith, a thaisce. Ceist a d'fhéadfaimis a phlé as seo go lá Philib an Chleite!'

Ón údar chéanna

www.eabhloid.com